BUEN CAMINO

길에서 만난 내 독일인

발 행 | 2024년 07월 05일
저 자 | 김은파
펴낸이 | 한건희
펴낸곳 | 주식회사 부크크
출판사등록 | 2014.07.15(제2014-16호)
주 소 | 서울특별시 금천구 가산디지털1로 119 SK트윈타워 A동 305호
전 화 | 1670-8316
이메일 | info@bookk.co.kr

ISBN | 979-11-410-9333-4

길에서 만난 내 독일인

김은파

목차

등장인물

은파 ♡ 다빗

자매

언니 ♡ 알렉스

PROLOG

'독일에서 살기 위해서는 어떻게 해야하지?' 라는 고민에서 시작된 첫 걸음이, 이 특별한 이야기의 첫 글자가 되었습니다. 2천년이 넘도록 그 자리 그대로 있는 까미노이지만 걷는 모든 이에게 각자 다른 경험과 만남을 허락하는 길이라 그 이야기가 더 특별해집니다.

길이 부른다는 말이 기다림보다 먼저 와서 저를 까미노로 인도했습니다. 지나온 삶의 경험들은 길 위에서 만난 순례자들과의 시간을 가득 채우는 향기가 되어 새로운 인연을 만들어 주었고, 이전에는 이유를 몰랐던 마음들이 '아, 이걸 위해서 필요했구나' 는 깨달음으로 바뀌어 다시 삶을 돌아보게 합니다.

10년 전, 청소년 유럽비전트립을 통해 독일을 여행하던 중, 노을이 진 쾰른의 라인강을 따라 걷는데 '나중에 여기서 살면 정말 좋겠다'라는 희미한 꿈을 가지게 되었습니다. 시간이 지나 음악을 전공으로 선택하고, 졸업과 동시에 독일어를 배우기 시작했습니다. 점점 선명해지는 꿈은 움직이게 하는 힘이 되어 하루 8시간씩 공부하게 했습니다.

오스트리아, 네덜란드 그리고 독일에서 온 순례자들을 만날 때마다 'Hallo, Ich habe seit einem Jahr Deutsch

gelernt. (안녕하세요, 저는 1년동안 독일어를 배웠어요.)"
라는 한 마디를 시작으로 머리에 있던 단어들을 차근차근
조립해 내 뱉었고, 그 대화들은 자신감이라는 벽돌로 쌓여
갔습니다. 20일차 순례자가 되던 날, 한 알베르게의 공용주
방에서 다빗을 만나게 되었습니다.

사실, 처음에는 3분의 1이 지나 끝이 보이는 까미노였기에
다빗과의 만남을 그저 가벼운 인연정도로 생각했었습니다.
하지만 제 생각과 달리, 산티아고까지 남은 거리를 표시하
는 비석 위의 숫자가 줄어들수록 다빗과 관계의 불확실성
도 줄어들었습니다.

이 특별한 이야기의 마지막 문장을 쓰기 위해
까미노 매직이 시작되었던 그 날로,
그 길 위로 다시 돌아갑니다.

#1 길에서 만난 내 독일인

"I know that word (나 그 단어 알아),
Erdbeere"
공용주방 식탁에 앉아 딸기를 먹고 있는 다빗에게 대뜸 말을 걸었다.

"??
Ach so!"
무슨 단어를 안다고 하는 건지 몰라 눈이 커지던 다빗이 독일어 단어를 듣고는 예쁘고 파란 눈을 더 동그랗게 떴다. 그리고 어떻게 독일어를 하는 거냐는 눈빛으로 나를 보며 딸기를 하나 권했다.

"I'm okay(괜찮아),
Wie heißen Sie?(성함이 어떻게 되시나요?)"
나는 딸기를 거절하고는 갑자기 정중하게 존함을 물어봤다.
한국에서 처음 만난 사람에게 존댓말을 쓰는 것처럼 초면이니까 정중하게 말하고자 하는 의도였는데, 나중에

알고 보니 선생님과 제자처럼 공식적인 관계에서 Siezen
을 사용하는 거였다.

(독일어에는 주어를 Sie로 사용하는 Siezen과 Du로 사용하는 Duzen이 존재한다. 간단하게 번역하면 Sie는 당신, Du는 너 정도가 되겠다)

정중한 통성명을 하고 자기 전 문 앞에 서 있던 다빗과 굿나잇 인사를 하고 잠들었다.
산티아고 순례길에서 한 번 마주친 사람은 자주 마주치게 된다. 내 동행들 사이에서 다빗은 딸기를 뜻하는 스페인어인 'Fresa' 프레사가 되었고, 다음 날 우리는 레온에 도착했다. 그리고 132개의 배드가 있는 수도원 알베르게에서 또 다빗을 마주쳤다. 아침식사 자리에 다빗이 먼저 와 앉아있었다.

"오늘 가는 길이 남쪽이랑 북쪽으로 나뉘는데 어디로 갈 거야?"
이미 간단하게 식사를 마친 다빗이 말을 걸었다.
"아 그래? 너는 어디로 가는데?"

"남쪽은 3km 더 멀긴 한데, 조용하고 숲길이라 예뻐. 북쪽은 거리는 짧지만 도로 옆을 걸어야 해서 시끄러울 거야. 그래서 나는 남쪽으로 가려고"

조금씩 줄어드는 거리에 아쉬움을 느끼고 있던 터라 고민할 것도 없이 나도 남쪽으로 갈 거라고 했다. 오늘 걸을 길은 30km 이상 남과 북으로 나누어졌다가 합쳐지는 길이었고, 우리는 어느 알베르게에서 머물지 지도를 보며 고민했다. 그리고 왓츠앱 번호를 공유했고 다빗이 먼저 출발했다.

오늘은 길에서 만난 내 한국 동행들과 헤어지는 날이다. 산티아고 이후 여행일정을 맞추려면 서둘러야 하는 일행이 이제는 속도를 내 조금씩 더 걸어야 했다. 우리는 다음 마을에 들러 콜라카오와 또띠아를 먹으며 작별인사를 했다. 그때 다빗한테 사진 한 장과 함께 연락이 왔다.

'여기서 왼쪽으로 도는 거 잊지 마'

북쪽으로 간다는 동행들에게 나는 아무래도 무조건 남쪽으로 가야겠다고 말했다. 길에서 새로운 친구들을 만나도 당장 내일 다시 볼 수 있을지 없을지 모르기 때문에 항상 가벼운 마음으로, 현재에만 충실하자는 마음으로 지냈었다. 하지만 지금은 다시 보고 싶은 친구를 찾아가고 싶어졌다.

카페에서 영국인 닉과 그리스인 아길로스를 알게 됐다. 닉과 아길로스도 남쪽으로 간다길래 같이 길을 걸었다. 흙길을 따라 걷다 갑자기 쏟아진 소나기에 얼른 노란 우비를 꺼내 입었다. 스페인에서 학교를 다니고 있는 닉은 생장에서 출발해 학교 친구들에게 까미노를 추천했고 그 이야기를 들은 아길로스가 어제 레온에서 출발해 오늘이 이틀 째 되는 날이었다. 아길로스는 배낭에 텐트를 가지고 다니며 알베르게 마당에 텐트를 치고 잤는데, 가는 곳마다 배드가 있을지 없을지 걱정하지 않아도 되는 텐트가 더 자유로운 까미노를 누리게 한다고 말했다. 앞에 보이는 건물이 5000달러라면 살 거냐는 질문에 저 건물을 사서 순례자들을 위한 마사지샵을 열어 백만장자가 되겠다고 농담하며 걸으니 금방 알베르게에 도착했다.

"아, 네가 그 한국인 여자애구나?"

여권을 보고 내 이름을 확인한 호스트가 다빗이 내 배드를 하나 예약해 뒀다며 자리를 안내해 줬다.

부엌을 안내받고 2층으로 올라가 숙소를 안내받는 동안 다빗은 보이지 않았다. 침대 커버를 깔고 샤워를 마친 후 호스트가 알려준 길을 따라 마트로 향했다. 혹시나 마트에 있을까 조심스레 들어갔는데 여전히 다빗은 보이지 않았다. 납작 복숭아 네 개와 바나나 두 개를 사 다시 알베르게로 돌아왔다. 부엌을 지나 2층으로 올라가는 계단에서 익숙한 목소리가 들렸다.

다빗이었다.

#2 첫 번째 저녁

"어 안녕, 어디 갔다 왔어?"

"나 마트 가서 과일 좀 사 왔어"

"벌써 마트 다녀왔구나. 나중에 저녁은 어떻게 먹을 거야?"

"글쎄, 같이 만들어 먹을까?"

다빗을 도와 토마토 파스타를 하기로 하고 재료를 사기 위해 다시 마트로 향했다. 길을 아는 나를 따라오던 다빗과, 다빗을 보고 걷던 나는 길을 잃었다. 영어와 독일어를 조금씩 섞어 대화하며 다빗에게 길을 잃었다는 뜻의 'sich verlafen'을 배웠다. 다빗은 내가 잘 알아들을 수 있게 천천히 말했다. 마트에서 재료를 사 돌아오니 시계는 4시를 향하고 있었다. 저녁을 먹기에는 애매한 시간이었다. 우리는 천장이 뚫린 건물 중앙의 테이블에 앉아 아까 사 온 납작 복숭아를 먹었다.

선생님이 되고 싶었다던 다빗은 휴학을 하고 우연히 파티에서 만난 친구를 통해 산티아고라는 길을 알게 되어 까미노에 왔다. 나도 막막해 보이는 독일유학이 정말 맞는 길일까 고민하던 중 우연히 까미노를 알게 되어 이 길에 오게 되었다. 대체 어떻게 독일어를 하는 건지 궁금해하는 다빗에게 나는 한국에서 피아노를 전공했고, 유학을 준비하며 1년

동안 독일어를 배웠다고 말했다. 길에서 만난 독일인들이 동양인 여자애가 독일어를 하니 놀라던 것처럼 다빗도 그 사실에 놀라고 인상 깊어했다.

한 시간 정도 이야기 했을까 다시 비가 오기 시작했다. 떨어지는 빗소리에 나른해진 우리는 조금 쉬다가 6시에 다시 만나기로 하고 각자의 배드에 몸을 뉘었다.

"조금 잤어?"

"아니 그냥 누워서 쉬었어. 너는?"

"나도. 배고프다 그치?"

주방에는 독일에서 온 몇 친구들이 같이 식사를 하고 있다. 뭐부터 해야 하냐는 질문에 다빗은 양파와 파프리카를 손질해 달라고 했다. 독일친구들은 남은 재료들을 사용해도 된다며 조리도구들의 위치를 알려줬고 다빗은 냄비에 물을 끓여 파스타면을 삶았다. 다른 팬에는 작게 썬 양파와 파프리카에 토마토소스를 부어 끓이고 병아리콩을 넣어 소스를 완성했다. 그릇에 먹을 만큼의 파스타와 소스를 덜어 아까 앉아서 이야기했던 테이블로 가 마주 보고 앉았다.

"레몬맥주 좋아해?"

아까 안내받을 때 알베르게 안에 있는 작은 바에서 라들러를 파는 걸 봤다. 쨍쨍한 스페인 태양 아래를 매일 20km 이상 걸어 마을에 도착하면 레몬맥주만큼 짜릿한 보상을 주는 게 없었다. 오늘도 어김없이 간질거리는 목구멍을 'Prost!(건배!)' 프로스트로 긁어주고 싶었다.

잔을 부딪히며 맥주를 주문하느라 조금 식은 파스타를 먹기 시작했다. 여전히 떨어지는 빗소리에 떠오른 쇼팽 빗방울 전주곡을 다빗에게 들려줬고, 다빗은 음악이 흐르는 동안 아무 말도 하지 않고 소리에 집중했다. 커다란 헤드폰에 귀를 하나씩 대고 나란히 앉아 있는 기분이었다. 연주가 끝나자 우리는 얼마나 피아노 소리를 좋아하는지에 대해 이야기했고 서로 들려주고 싶은 음악을 번갈아가며 틀었다. 그 사이, 다빗은 자리에서 일어나 세 번이나 더 파스타를 덜어왔다. 내일은 어디로 갈지 이야기를 나누다 아스토르가에 있는 숙소를 같이 예약했다. 낯설지만 편안한 식사였다.

설거지까지 마치고 나니 8시가 다 되어갔다. 우리는 2층 바닥에 앉아 복도 벽에 기대 밀카 초콜릿을 나눠먹었다. 나는 하루를 정리하며 일기를 썼고 옆에 앉은 다빗은 맞은편 벽에 시선을 고정하고 있는게, 생각에 잠겨 있는 것 같았다. 집중해서 일기를 쓰려고 하니까 다빗 옆에 앉아 다빗에 대해 쓰는 것이 뭔가 부끄러웠다. 알아보지 못하는 한글이지만 괜히 다빗이 보지 못하게 손으로 가려 일기를 적어야 할 것 같은 기분이 들었다.

일기장에 붙어있던 노란 포스트잇에 다빗의 이름을 한글로 적어 다빗에게 줬다. 우리의 대화주제는 또다시 언어로 돌아왔고 나는 독일어를 공부하던 당시에 썼던 원고를 찾았다. 다행히 핸드폰 메모장에 그대로 저장되어 있었다. 나는 다빗에게 이 글을 독일인에게 보여줄 줄은 진짜 상상도 못 했다고 말했고, 채식주의에 대한 글을 읽은 다빗은 자기가 베지테리언이라고 말했다. 그 글의 결론으로 그래도 여전히 고기를 즐겨 먹을 거라고 적은 나는 조금 민망했지만 잘 적었다며 칭찬하는 다빗의 말에 쑥쓰러운 뿌듯함을 가졌다. 다빗은 전에 춤도 배웠다고 했다. 나도 한국에서 스윙댄스를 배웠었는데, 까미노를 걷는 동안 광장이든 어디서든 한 번쯤 꼭 춤을 춰보고 싶었던 마음이 다빗과 함께 춤추는 장면으로 상상하게 하면서 설레기 시작했다. 우리는 언제한 번 같이 춤을 추기로 약속하고 10시가 넘어도 해가 지지 않는 한 여름의 스페인 땅에서 멀리 울리는 교회의 종소리를 들으며 잠에 들었다.

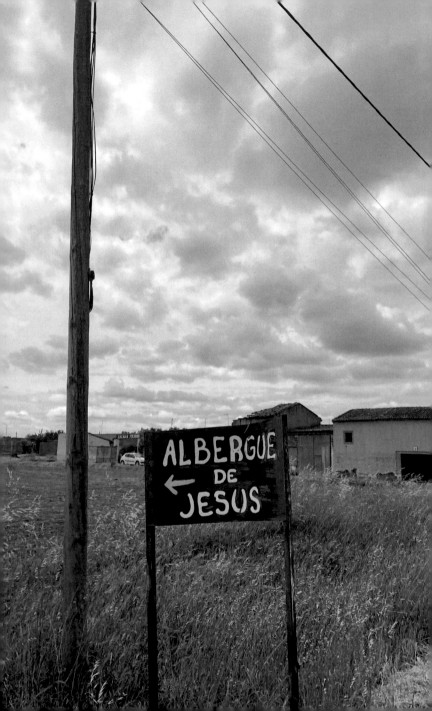

#3 같이 걷자

이제는 6시가 되면 알람도 없이 자연스레 눈이 떠진다. 제일 먼저 출발해도 긴 다리로 나를 앞질러 가는 유럽친구들과 인사하며 가장 늦게 도착하기에 오늘도 간단히 바나나와 요거트를 먹고 1등으로 출발했다. 어두운 새벽에 걷기 시작하면 기분 좋은 경험을 하게 된다. 해가 뜨면서 서서히 등이 따뜻해지는 것을 느낄 수 있다. 점점 길어지는 그림자에 고개를 돌려 일출을 보며 뒤로 걸었다. 사방으로 펼쳐진 지평선을 보면 마치 스노우 볼 한가운데 떨어진 것 같은 기분을 느낀다.

닉의 추천으로 까미노에 온 또 다른 친구들을 만났다. 모두 다 나를 앞서가나 싶더니 조금 지나지 않아 다들 길가에 모여 앉아 간식을 먹고 있었다. 먼저가 나중 되고 나중이 먼저되는 이 공평한 길에 또 한 번 매력을 느낀다.

길 중앙 바닥에 앉아 이야기하고 있는 두 사람의 모습이 보였다. 가까이 가보니 한쪽 무릎을 꿇고 바닥에 무언가를 적고 있었다. 니키와 그녀의 친구였다. 두꺼운 매직을 가지고 다니면서 큰 돌멩이가 보이면 거기에 떠오르는 생각을 적었다.

"그거 진짜 좋은 아이디어다!"

"너도 하나 적고 가"

니키는 손에 매직을 쥐어주며 넓적한 돌멩이 앞으로 나를 데려갔다. 무슨 말을 해야 할까 고민하다 뒤이어 이 길을 걸을 한국 순례자들을 응원하는 메시지를 남겼다. 까미노에서 직장을 은퇴하고 오신 많은 부모님 순례자들을 만났었다. 볼 때마다 어깨를 두드리며 격려해 주시고 귤도 하나 쥐어주시고 가는 정 많은 한국 순례자들이 떠올리며 메모를 남겼다. 혹시나 지쳐서 땅을 보고 걷더라도 다시 고개를 들어 힘낼 수 있기를 바라면서.

알베르게를 나서며 다빗에게 길에서 보자는 메시지를 남겼었다. 걸은지 40분 만에 다빗에게 답장을 받았다. 나는 길에 남겨놓은 메시지를 찾아보라며 사진을 보냈고, 다빗은 아무래도 자기가 놓친 것 같다며 지금 어디냐고 물었다. '나 곧 호스피탈에 도착해서 카페에 가려고. 거기서 만날까?' '당연히 좋지:)'

멈춰 쉬어갈 마을 없이 15km를 걸어 호스피탈 델 오르비고에 도착했다. 마을 입구에 있는 카페에 들어가 카페 콘 레체와 애플파이를 주문했다. '도착하는데 40분 정도는 걸리겠지?' 생각하며 배낭을 내려놓고 완성된 라떼와 파이를 받아 자리에 앉았다. 10분쯤 지났을까 숨이 찬 다빗이 크게 호흡하며 들어왔다. 다빗은 내가 앉은 테이블로 걸어와 옆에 배낭을 내려놓았다. 그리고 라떼와 빵 두 개, 달걀 하나를 주문했고 우유 거품 위로 설탕 두 포를 뿌렸다.

"진짜 빨리 왔네? 나는 더 걸릴 줄 알았어"
"응 한 번도 안 멈추고 바로 왔어"

카페 마당을 자유롭게 걸어 다니는 'Hähnchen(치킨)' 좀 보라는 말에 다빗은 웃음이 터졌다. 그리고 먹던 달걀을 나눠주며 'Ei(달걀)'부터 'Küken(병아리)', 치킨이 아닌 'Hühner(닭)'까지 닭의 성장과정을 가르쳐줬다. 다빗은 달걀과 우유까지 먹지 않는 비건이 아니라 고기를 먹지 않는 베지테리언이었다. 달걀을 먹을 수 있으니까 오늘 알베르게에 주방이 있으면 달걀프라이를 올린 비빔밥을 만들어 줘야겠다고 생각했다.

든든하게 배를 채우고 다시 길을 나섰다. 마을로 들어가는 긴 다리를 지나 조금 더 걸으니 두 갈래로 나뉜 갈림길이 나왔다. 우리는 핸드폰을 꺼내 지도를 확인했다. 어제와 비슷

한 상황이었다. 그대로 직진하면 빠르지만 마을을 통과해 포장된 길을 걷는 것이고, 오른쪽으로 가면 조금 둘러가지만 자연에 둘러싸여 낮은 언덕길을 걷는 것이었다. 물을 것도 없이 우리의 걸음은 오른쪽으로 향했다. 마을을 조금 벗어나니 앞 뒤로 아무도 보이지 않았다. 나는 핸드폰의 음량을 높여 한국에서 즐겨 듣던 'Destination Moon'을 재생했다. 다빗도 어릴 때 듣던 노래라며 'Du, du liegst mir im Herzen'을 들려줬다. 바람 소리를 뚫고 귀에 울리는 노래들이 절로 흥얼거려졌다.

그늘 하나 없는 언덕길을 한참 걸으니 정수리가 뜨거워졌다. 우리는 바닥에 그려진 노란 화살표를 따라 작은 카페로 들어갔고 오렌지 주스를 주문했다. 더위에 지친 다빗은 자리에 앉자마자 테이블에 팔을 뻗어 그 위로 고개를 눕혔다. 빨갛게 익은 두피를 덮은 금발의 머리카락은 정말 얇고 부드러웠다. 이렇게 부드러운 머리칼은 한 번도 만져본 적이 없었다. 머리를 쓰다듬는 손길에 나른해진 다빗은 내가 잔을 다 비울 때까지 가만히 누워 있었다.

다시 출발한 언덕길은 마을에 가까워질수록 조금씩 푸르러졌다. 길을 중앙에 두고 양쪽으로 펼쳐진 나무들이 시원한 그림자를 만들었다. 바닥에는 달걀프라이처럼 노랗고 하얀

꽃들이 아기자기하게 피어있었다. 가장 좋아하는 노래, 음식, 꽃 등 'Was ist dein Lieblings…(가장 좋아하는…이 뭐야?)'로 시작하는 질문을 주고받았다. 다빗의 최애 꽃은 눈앞에 흐드러져 있는 데이지였다. 다빗은 바닥에 누워있는 꽃을 하나 줍더니 한쪽으로 길게 땋여 있는 내 머리카락에 꽂았다.

'어디쯤이야? 오다 보면 도네이션으로 운영되는 과일 바가 있을 건데 꼭 들러서 먹고 와. 진짜 대박이여'
북쪽길에서 출발해 앞서 걷고 있는 언니의 연락을 받았다.

#4 도시 속 낭만

"과일 바가 있대"
다빗에게 말을 꺼냄과 동시에 언덕길 끝으로 사람들의
머리가 조금씩 보이기 시작했다.

"우와 수박도 있네?!"
설레는 마음으로 예쁘게 썰어 놓은 수박 한 조각을 집어
베어 물었다. 땅의 열기에 미지근하게 식어 있었지만 혀
를 감싸며 퍼지는 과즙은 여전히 사막의 달콤한 오아시
스나 다름없었다. 한 손에 수박을 들고 나무에 연결된 해
먹그네에 앉아 발을 저었다. 다빗은 그네 뒤로 와 박자에
맞춰 내 등을 밀어줬다. 시원한 바람에 발이 하늘까지 닿
은 기분이었다. 뒤이어 도착한 많은 사람들이 바에 과일
을 채우고 있는 한 남자와 이야기를 나눴다.

"데이빗, 너무 고마워요. 데이빗이 없었으면 정말, 나 오
늘 프랑스로 돌아갈 뻔 했잖아요"
썬글라스를 쓰고 한 쪽 귀에 이어폰을 꽂은 데이빗이 미
소를 지으며 대답했다.
"마음껏 즐기다 가세요. 물 좀 더 드릴까요?"

"저 남자 이름도 다빗인가봐"

"벽에도 데이빗한테 고맙다는 글이 적혀 있어 저기 봐!"

황토색의 벽 위에 굵은 하얀글자가 적혀있었다. 가까이 가니 작은 글씨로 쓰인 한글도 보였다. 벽 한 면 가득 다양한 언어로 데이빗에게 감사를 전하는 글이 적혀있었다. 빈 공간을 찾아 흔적을 남길 니키가 떠올랐다.

훈훈한 분위기에 몸이 나른해지니 얼른 알베르게에 가서 몸을 누이고 싶었졌다. 우리는 자리에서 일어나 데이빗에게 고맙다고 인사를 했다. 그리고 테이블 중앙에 쌓인 동전위로 2유로를 떨어뜨리고 배낭에서 순례자 끄레덴시알을 꺼내 쎄요를 찍었다. 까만 도장으로 가득한 순례자 여권에 빨간 잉크의 큰 하트가 찍혔다. 우리는 이 길에서 제일 예쁜 쎄요인 것 같다며 배낭 바닥의 흙을 털어내고 어깨위로 다시 배낭을 짊어졌다.

아스토르가 입구에 들어서니 길에서 만난 익숙한 얼굴들이 보였다. 다빗이 만났던 다른 독일 순례자들은 카페 앞 테라스에 자리를 잡고 앉아 커피를 마시며 수고했다고 반갑게 맞아주었다. 들어보니 이 마을에 초콜릿 박물관이 있다고 했다. 독일어를 공부할 때마다 어김없이 나오

는 주제 중 하나가 초콜릿 박물관 견학이라 오늘 꼭 가봐
야 겠다고 생각했다.

성당 옆으로 보이는 가우디의 큰 건물을 지나 왼쪽 골목
으로 꺾었다. 골목 모퉁이에는 커다란 하얀 리본으로 꾸
며진 까만 차 한 대가 주차되어 있었고, 곧 이어 웨딩드레
스를 입은 신부와 빨간 얼굴의 신랑이 사람들의 에스코
트를 받으며 성당 밖으로 나왔다. 북적북적한 도시의 소
리가 조금 반가웠다.

"예약하셨나요? 여권은 저한테 주시고 잠시만 기다려 주
세요"

3층까지 이어지는 계단 앞에 서서 차례를 기다렸다. 층고
가 높은 1층 중앙에는 디근자로 놓인 큰 소파가 있었고
그 위로 작은 식탁과 주방이 꾸며져 있었다. 하늘이 보이
는 마당에서는 몇 몇 사람들이 앉아 책을 읽거나 무언가
를 쓰고 있었다.

"다빗 퀵, 은파 킴 맞죠? 주방은 보이는 것처럼 1층에서
사용하면 되고, 샤워실이랑 화장실은 2층에 있어요. 빨래
는 2층 건조대에서 말리면 되는데 혹시 세탁기 사용하려
면 저한테 말해주세요."

다빗은 2층 안쪽 방, 나는 3층으로 안내를 받았다. 3층에 올라가니 이미 도착해서 샤워를 마친 언니가 젖은 머리를 말리고 있었다.

"언니 여기 초콜릿 박물관 있다는데 가볼래?"

"오 좋지. 가우디 건물도 같이 가려고 기다리고 있었어. 근데 곧 마지막 입장시간이라 빨리 출발해야 할 걸?"

다빗과 같이 세탁기를 돌리려고 빨래를 가지고 1층에서 만났다. 그리고 레온에서 짧게만 인사했던 언니를 한 번 더 소개했다. 오늘 34km를 걸은 우리는 사실 발바닥이 아려왔지만 내일 일찍 또 이 마을을 떠나야 한다는 아쉬움에 서둘러 다시 광장으로 향했다. 광장 벤치에는 언니와 함께 걸은 동행오빠가 우리를 기다리고 있었다. 오빠는 다빗과 축구얘기를 시작하더니 빠르게 친해졌다. 넷이 나란히 걸어 도착한 초콜릿 박물관에 마지막 입장 10분을 남겨두고 아슬아슬하게 들어갔다. 나는 찰리와 초콜릿공장을 상상하며 입장했다. 첫 번째 방 벽에는 카카오가 초콜릿이 되기까지의 과정이 새겨져 있었고, 복도를 지나 이어진 방에는 여러 향을 시향해볼 수 있는 유리 관이 나란히 진열되어 있었다. 건물을 한바퀴 돌고 다시 1층으로 내려와 세 가지 맛의 초콜릿이 담긴 작은 비

닐을 받았다. 감질맛나게 초콜릿을 먹으니 배가 고파왔
다. 다빗은 방명록에 'zu wenig(너무 적어)'라고 적었다.
서로 말하지 않아도 표정을 보면 무슨 생각을 하는지 바
로 알 수 있었다. 우리는 박물관에 울리던 찰리 채플린의
노래를 흥얼거리며 가우디의 건물로 향했다.
가우디의 주교궁은 새롭고 아름다웠다. 하지만 알찬 관
광스케줄에 지친 우리는 얼마 보지 못하고 의자에 앉아
저녁을 어떻게 먹을지에 대해 이야기 했다. 더군다나 내
일은 일요일이기 때문에 오늘 꼭 마트에 들러서 내일 장
까지 봐야 했다. 머리속으로 마트에 갔다가 밥을 먹고 들
어갈 루트를 그리며 언니오빠를 찾았다.

장을 보고 찾아간 'Döner(케밥)'가게는 찐이었다. 검은
수염을 길게 기른 두 사장님이 운영하는 작은 식당이었
는데, 맛집의 냄새가 났다.
"사실 오늘 알베르게에서 한국 음식 해주고 싶었는데..
다음에 덜 피곤할 때 해줄게!"
"걱정 마, 대신 오늘 아주 독일스러운 음식을 먹잖아"
세트로 시킨 감자튀김까지, 정말이지 독일스러운 저녁이
었다. 다빗이 케밥을 두 개째 먹기 시작할 때, 열린 가게
문 밖으로 얇은 빗줄기가 보였다. 소나기겠거니 생각하

며 여유롭게 식사를 마쳤는데 예상과 달리 빗줄기는 조금씩 더 굵어졌다.

"하나 둘 셋 하면 뛰는거다?"
우리는 장난기 가득한 얼굴로 바람막이 지퍼를 턱 끝까지 올렸다. 그리고 모자를 뒤집어 쓰고 달렸다.

"Pause(잠깐 휴식)!!"
앞서가던 다빗 뒤를 쫓아 달리다 작은 지붕 밑으로 들어갔다. 멈춰서니 주변 사람들이 보였다. 누군가는 덤덤하게 비를 맞으며 걸어갔고, 맞은편에는 우리처럼 지붕 아래 서서 손목에 묶인 시계를 바라보는 사람들도 있었다.
"'어바웃 타임'의 한 장면 같지 않아?"
"우리 비 그치기 전에 얼른 뛰어가자"

쫄딱 젖은 머리카락을 털며 알베르게에 도착했다. 그리고 곧장 디귿자의 큰 소파에 누워 앉아 숨을 크게 내쉬었다. 정말 재미있는 하루라고 생각했다. 우리는 아까 마트에서 사온 초콜릿과 요거트를 먹으며 까미노에서 먹었던 맛있는 음식들에 대해 이야기했다. 그리고 오늘 정말 수고했다고 다빗의 손을 마사지해줬다.

나른해진 눈으로 손을 바라보던 다빗은 긴장이 다 풀려서 너무 편안하다며 고맙다고 했다. 시간은 점점 빠르게 흘러갔고 더 많은 것들을 다빗이랑 같이 해보고 싶어졌다.

#5 나란히

도로 한 편에 일렬로 세워진 차들을 따라 걸었다. 한 시간
쯤 걸으니 마을을 벗어났고 슬슬 허기가 졌다.

"또띠아 두 개랑 카페 콘 레체 두 개 주세요"
아침마다 오는 이 시간이 제일 행복하다. 골목처럼 좁은
카페 안으로 들어가 반짝반짝한 눈으로 사장님에게 간절
한 눈빛을 보냈다. 주문의 순서는 누가 먼저 줄을 섰느냐
가 아닌 누가 먼저 눈을 마주쳤느냐이다. 누구보다 친절
하게 지은 미소는 사장님의 시선을 가장 먼저 끌었고, 빠
르게 양손에 또띠아와 라떼를 들고 나와 테라스에 자리
를 잡을 수 있었다.

"Juten Morgen(좋은 아침이야)"
어제 같은 알베르게에 묵었던 독일 순례자들이 유쾌한
베를린 사투리로 인사를 하며 지나갔다. 다빗은 베를린
사투리가 재밌다며 'g'를 'j'로 발음하는 몇 문장들을 알려
줬다.

곧 접시를 비운 우리도 출발하려고 계산을 위해 다시 카페 안으로 들어갔다. 이 카페는 경찰들의 단골카페인 듯 했다. 주머니가 많은 남색조끼를 입은 다섯 명의 남녀 경찰관들이 카운터 앞에 서서 사장님과 이야기하며 주문한 커피를 기다리고 있었다. 나는 또띠아가 진열된 작은 유리 쇼케이스 앞으로 가 다시 한번 간절한 눈빛을 보냈다. 사장님은 절대 쉽게 눈길을 주지 않았고, 나와 같은 상황인 듯 손에 5유로를 든 채 옆에 서 있던 미국인 아저씨와 눈이 마주쳤다.

"너도 계산하려고 기다리고 있어?"

"네, 쉽지 않네요"

서두르지 않는 스페인 문화에 아직 적응하지 못한 우리는 웃음이 터졌다. 한참을 이야기하다 겨우 계산을 하고 나오며 아저씨에게 "부엔 까미노!" 인사하고 카페 입구에 내려놨던 배낭을 다시 멨다.

눈앞에 다시 드넓은 초원과 파란 하늘이 시원하게 펼쳐졌다. 오른쪽에는 소들이, 왼쪽으로는 양들이 떼를 지어 다녔다. 도시에서 벗어나 자연을 걸을 때, 그 자유로움과 고요함은 배가 되어 다가온다.

정오가 되니 강한 햇빛이 하얀 모래바닥에 비춰 눈이 부셔왔다. 모자도 선글라스도 없는 다빗은 까만 모자와 선글라스를 쓴 나에게 하나만 달라고 했다. 다빗에게 선글라스를 벗어주고 눈을 감고 걸었다. 다빗의 팔을 잡고 다빗의 속도에 맞춰 걸으니 다빗의 팔에 움찔거리며 힘이 들어가는 게 느껴졌다. 10분쯤 더 걸었을까, 'El Ganso' 엘 칸소라는 작은 마을에 도착했다. 벽돌로 된 건물들이 나란히 붙어 길을 만들었다.

"조금 쉬고 갈까?"
"응! 오렌지 주스 마시고 가자"
쿱쿱한 벽돌냄새가 나는 카페 안으로 들어가 앉았다. 곧이어 마을에 도착한 언니도 우리가 있는 카페를 찾아왔다. 언니는 주인이 잠깐 자리를 비운 카운터에 서서 주문을 기다리고 있었다. 그때 들어온 한 중년의 스페인 순례자가 언니에게 말을 걸며 곧이어 들어온 주인에게 그란데 사이즈의 오렌지주스 한 잔을 주문했다. 그리고 언니 앞에 놓았다. 본인이 사겠다며 짧은 대화를 이어갔고 같이 사진을 찍자고 제안했다. 그 남자는 다빗에게 카메라를 주며 사진을 찍어달라고 했는데 그때 다빗의 표정이 좋지 않았다. 조금 뒤 그 남자는 자신의 자리로 돌아갔고 나는 다빗에게 괜찮냐고 물었다. 다빗은 우리가 호의를 베푸는 중년의 남자들을 조심할 필요가 있다고 말했다. "저 남자는 우리 모두와 사진을 찍기 원한게 아니라 너랑만 찍고 싶었던 거잖아. 오렌지 주스도 네 것만 계산했고. 그럴 땐 저 사람이 뭘 원하는 걸까 생각해 볼 필요가 있어"
친절한 사람이라고만 생각했기에 다빗이 하는 말을 100% 다 이해하지는 못했다. 하지만 이런 말을 하는 데에는 이유가 있을 거라고 생각했다.

오늘 도착지는 라바날 델 카미노라는 한식 알베르게가 있는 마을이다. 이곳에서 직접 담그는 김치와 라면을 먹을 수 있다는 정보에 한껏 신난 발걸음으로 알베르게에 도착했다. 지붕 아래로 들어오자마자 빗방울이 떨어지기 시작했고, 입구에서부터 풍겨오는 김치와 라면냄새가 침샘을 자극했다. 얼른 짐을 풀고 밥 먹을 생각에 빠르게 눈을 굴려 호스트를 찾았다.

"오, 죄송해요 지금 알베르게에 남은 베드가 없어요."
"네!?!"

#6 까미노 무도회

정말이지, 절망적인 호스트의 첫마디에 다리에 힘이 다 빠졌다. 다음 마을까지 계속 걸어가야 하나? 밖에 지금 비가 저렇게 억수처럼 내리는데? 알베르게에는 우리보다 한 발 앞선 한국인 단체 순례자들이 이미 도착해 베드를 다 정리하고 식사를 하고 있었다. 그때 호스트가 잠깐 어디론가 향했다.

"어떡하지?"
"일단 밥을 먹고, 어쩔 수 없잖아 계속 가야지 뭐"
반쯤 체념한 우리는 한글과 독일어로 된 메뉴판을 보며 식사를 고민했다.
그때 다시 호스트가 돌아왔다.
"창고에 매트리스를 깔아서 자리를 만들어 줄 수 있는데, 이곳도 괜찮으면 체크인 도와드릴까요?"
그리고 알베르게 가장 안쪽에 있는 큰 문을 열어 나란히 깔려있는 매트리스를 보여줬다.
"좋아요!!"
이보다 더 큰 선물이 없었다. 창고에 들어서자마자 미녀와 야수의 한 장면에 들어온 듯한 느낌을 받았다. 노란 조명의 창고 중앙에는 커다란 난로가 천장을 뚫어 하늘과 연결되어 있고, 왼쪽으로는 커다란 원목 테이블과 의자들이 쌓여있었다. 그리고 벽을 둘러 세워진 장식장은 50년은 족히 넘어 보이는 찻잔과 장식품들로 채워져 있었다. 입구 맞은편에 있는 문을 열면 마구간과 빨래를 널수 있는 작은 정원이 있었다.

깜깜한 집에 있다 갑자기 '서프라이즈!' 하며 불이 켜진 것 같은 이 상황에 어안이 벙벙했다.
"2층 침대도 없고, 천장도 높은 여기가 젤 좋은 방인 거 아니야?"
"심지어 코 고는 사람도 없어"
선물 같은 체크인에 우리는 미소를 지으며 매트리스 옆에 배낭을 내려놓았다. 그리고 씻지도 않고 바로 식탁에 앉아 라면과 밥을 주문했다. 한 달 전에 한국에서 먹었던 똑같은 김치와 라면인데 어떻게 이렇게 맛있는지 라면스프같은 까미노 매직에 또 한 번 감동했다. 김치와 라면을 한 번도 접한 적 없던 다빗은 처음 사용해 보는 쇠 젓가락에 조금씩 적응하며 라면을 한 가닥씩 집어 먹었다.
"와 너무 매운데 진짜 맛있어"

김치국물까지 깔끔하게 다 비운 다빗은 부른 배에 손을 올리고 한참 소화를 시켰다.

샤워를 마치고 나니 잠이 몰려왔다. 젖은 머리를 대충 수건으로 털어내며 다시 창고 알베르게로 들어가 짐을 정리하고 나란히 놓인 매트리스에 걸쳐 누워 잠에 들었다.

한 시간 정도 잠들었을까 잠에서 조금씩 깨어나며 내 숨소리를 넘어 부스럭거리는 소리가 들리기 시작했다. 그리고 오른쪽 손에 따뜻한 촉감이 느껴졌다. 다빗이 옆에 누워 손을 잡고 있었다. 나는 조심스레 눈을 떴다. 불규칙한 호흡에 내가 깬 걸 눈치챈 다빗은 잘 잤냐고 물으며 내 팔을 몸 쪽으로 당겼다. 그리고 내 머리를 오른팔에 뉘어 품에 안았다. 따뜻한 온기에 온몸이 나른해지면서 저절로 눈이 다시 감겼고, 그때 다빗이 입술에 입을 맞췄다. 다빗은 입술도 따뜻했다. 그렇게 나른한 호흡을 나눴다.

처음 느껴보는 낯선 편안함에 다빗을 바라보는 내 눈빛에 따뜻함이 담긴 게 느껴졌다. 우리는 난로가 켜진 따뜻한 공용주방으로 가서 저녁을 먹고 물을 끓여 차를 마셨다. 그리고 다시 창고로 돌아와 잠들 준비를 했다.

"여기서 춤출 수 있지 않을까?"
다빗은 양팔을 벌려 넓은 창고를 가리키며 같이 춤을 추자고 제안했다. 나는 다빗 앞에 마주 보고 서서 오른손은 다빗의 왼손에, 왼손은 다빗의 어깨 아래팔에 올렸다. 다빗은 입으로 스윙 리듬을 흥얼거리며 스텝에 맞춰 나를 끌었다. 한 껏 진지해진 다빗은 눈빛까지 진지해지더니 본격적으로 연습을 하기 시작했다. 조금씩 호흡이 맞아져 갔고 우리는 재즈 음악을 틀고 춤을 췄다.
"왈츠도 출 수 있어?"
다빗이 물었다.
"아니 스윙댄스만 배웠는데 왈츠도 춰보고 싶어. 가르쳐 줘!"
"eins zwei drei, eins zwei drei (하나 둘 셋, 하나 둘 셋)"
조용히 박자를 세더니 팔에 텐션을 넣어 나를 스텝에 따라 움직이게 했다. 우리는 까미노 무도회를 열었다. 미녀와 야수를 배경으로 한 왈츠 무도회였다. 서툰 스텝 때문에 다빗에게 한껏 의지해야 했는데 그 덕분에 몸에 힘을 주지 않고 편안하게 춤을 췄다. 혹시나 다른 순례자들이 깰까 봐 음악도 작게, 목소리도 작게 맞추고 우리만의 파티를 열었다.

주변이 모두 조용해지고, 차분해진 공기에 우리도 내일을 위해서 파티를 정리하고 자리에 누웠다. 여전히 믿어지지 않는 오늘 하루가 마법 같았다. 까미노 매직이 진짜 있는건가. 까미노에서는 무슨 일이든지 원하는 마음이 꿈틀거리면 실제로 일어난다. 오늘도 선물을 잔뜩 받고 잠에 든다.

#7 햇빛과 구름

하루하루를 누리며 길을 걷다 오늘 드디어 그렇게 기다리던 철의 십자가를 마주했다. 한국에서 가져오지 못한 돌멩이를 대신하려 며칠 전에 주워뒀던 돌멩이를 다빗과 하나씩 나눠가졌다. 그리고 쌓인 돌을 향해 던지며 이 시간을 기억했다.

"Was ist dein Wunsch? (소원이 뭐야?)"
"Keinen Wunsch mehr zu haben (더 이상 소원이 없는 거)"
다빗은 아무것도 바라지 않고 지금을 행복하게 누리는 것이 소원이라고 했다. 내 소원은 무엇이냐고 묻는 다빗에게 나중에 가르쳐주겠다며 뒤돌아서 언덕을 내려가려는데 다빗이 내 팔을 잡아 다시 몸을 돌려 입을 맞췄다. 뱃속에서 나비가 날갯짓하듯 아기자기한 설렘이 공기를 간지럽혔다.

산을 따라 정상에 올랐다. 드넓게 펼쳐진 경치를 보며 쉴 수 있게 커피차 옆에 나무 테이블과 벤치들이 설치되어 있었고 가까이 가면 강아지들이 먼저 뛰어와 반갑게 맞아주었다. 테이블 옆에 가방을 두고 커피차로 가 카페 콘 레체와 브라우니를 주문했다. 뒤따라 주문하고 돌아온 다빗은 내 손에 조개가 그려진 작은 뱃지를 하나 건네주 었다. 커피차에서 산티아고 굿즈를 팔고 있었는데 두 개 를 사서 하나를 선물해 준 것이다. 산티아고까지 10일 정 도 남은 시간에 생각이 많아졌다. 이 길이 끝나면 우리는 어떻게 될까?

"나도 소원이 없어. 그냥 지금 주어진 이 상황에 감사한 마음뿐이야"

5시간을 걸어 몰리나세카에 도착했다. 작고 조용한 골목 으로 이루어진 마을이었다. 우리는 큰 야외 수영장이 있 는 알베르게에 묵었다. 체크인을 하자마자 샤워를 하고 손빨래를 하기 위해 뒷마당으로 갔다. 빨래터 옆 게양기 에 독일 연방기와 태극기가 나란히 걸려있었는데 천천 히 물결치는 게양기를 보며 물장난을 했다. 그렇게 시끌 벅적 빨래를 짜고 널고 있는데 빗방울이 조금씩 떨어졌 다.

"어떡하지? 다시 걷어야 할까?"

"아니야 곧 그칠 거야. 얼른 널고 들어가자!"

후다닥 빨래를 널고 들어오니 다빗말 따라 정말 해가 다시 구름 사이를 뚫고 햇빛을 비추기 시작했다. 우리는 저녁을 먹을 겸 레스토랑을 찾아 산책을 나갔고 마을 입구 쪽에 순례자 메뉴를 주문할 수 있는 식당이 있었다. 통밀빵과 함께 샐러드가 전채요리로 나왔고 나는 메인요리로 토끼 요리를 주문했다. 아직 한 번도 해보지 않은 경험에 대한 도전이었다. 디저트로는 치즈케이크와 아이스크림을 먹고 다시 알베르게로 돌아갔다.

돌아오는 길에 까미노에서 만난 다른 독일 친구들과 마주쳤다. 오늘 새벽에 출발해서 40킬로를 넘게 걸었다고 했다. 한계에 도전하며 걷는 순례자들의 강한 의지와, 지쳤지만 그 너머로 드러나는 에너지가, 사람이 자연과 조화를 이룰 때 어떤 모습을 보이는지 그 까미노의 힘을 보여주는 듯했다.

우리 방은 8인 숙소였는데 알베르게의 문이 닫힐 때까지 우리 말고 아무도 오지 않았다. 우리는 마주 보는 2층 침대에 각자 누워 지금까지 느낀 까미노에 대해서 이야기했다. 나는 점점 다빗에게 스며들고 있다는 것을 느꼈다. 비슷한 생각과 말을 하는 다빗이 신기하고 좋으면서도 이 길이 끝에 가까워질수록 이 시간이 다시는 오지 않을까봐 조금은 무서워지기도 했다.

'까미노블루'라는 말이 있다. 그 길을 잊지 못하고 그리워하며 우울감에 잠기는 것을 말한다. 아직 까미노 위에 있으면서도 길이 끝나갈수록 벌써 이 시간을 그리워하며 우울해하는 내 모습을 발견했다. 다빗도 같은 마음이었던 것 같다. 우리는 어떻게 하면 지금을 더 사랑으로 누릴 수 있을까 고민했다.

#8 무슨 사이야

문이 열리기 전에 도착한 폰페라다에서 반가운 얼굴을 만났다. 그라뇽에서 만났던 자원봉사자 알만도가 2주 만에 그라뇽을 떠나 폰페라다로 온 것이다. 알만도는 알베르게의 문을 열기 전 로비 중앙에 서서 영어로 한번, 이탈리아어로 한번 그리고 스페인어로 한번 알베르게 규칙에 대해서 설명했다. 나는 다빗을 만나기 전이었던 그라뇽에서의 시간을 회상했다. 피아노를 치고 연주에 맞춰 함께 비틀즈의 'Hey Jude'를 불렀던 순례자들이 떠올랐다. 모두를 포옹으로 따뜻하게 맞아주었던 알만도와 다시 한번 포옹을 하고 체크인을 했다.

알베르게에서 또 다른 반가운 얼굴들도 만났다. 산티아고 초반에 일주일 넘게 같이 걸었던 마틴이 나타난 것이다. 마틴은 무릎에 부상이 생겨 천천히 조금씩 걷느라 거리가 벌어지면서 오랫동안 못 만났었는데 결국 무릎이 회복되지 않아 버스를 타고 폰페라다로 왔다고 했다. 반가운 마음에 오늘은 내가 저녁을 대접하기로 약속했다. 그리고 조르디라는 스페인 아저씨도 다시 만났다.

조르디는 이곳에 아는 사람이 가이드로 일을 하고 있어서 저녁에 시티투어를 하고 음악회를 갈 건데 같이 가겠냐고 제안했다. 흔쾌히 수락을 하고서 연락처를 주고 받았다. 곧이어 그라뇽에 같이 있었던 마틸다와 샤샤도 만났다. 나는 반가운 마음들을 뒤로하고 다빗과 밥을 먹기 위해 도시 중심부로 산책을 갔다. 편하게 갈아입으려고 가져온 빨간 미니원피스를 입었는데 이렇게 꾸민 모습을 처음 본 다빗은 연신 예쁘다며 칭찬했다. 새삼 꾸미지 않은 모습 그대로를 좋아해주던 다빗의 마음이 순수하고 좋아서 웃음이 나왔다.

기사들의 성을 지나 우리는 구경을 하러 데카트론으로 갔다. 모자가 필요했던 다빗은 파랑 검정 하얀 모자를 차례로 써보며 무슨 색이 제일 잘 어울리냐고 물었다. 블론드의 다빗 머리카락에는 하얀색이 찰떡이었다. 하얀색 캡모자를 사고 나오니 4시가 다 되어가고 있었다. 우리는 시에스타가 시작되기 전에 아직 열려있던 피자집을 찾아 아슬아슬하게 콰트로 치즈 피자와 감자튀김을 주문했다.

"피자는 언제 먹어도 질리지가 않아"

"특히 지금까지 스페인에서 먹었던 피자들은 다 담백해서 너무 맛있는 것 같아"

만족스러운 식사를 마치고는 저녁식사 준비를 위해 마트에 들렀다. LEWE라는 독일 마트였다. 다빗은 독일에서도 자주 가는 마트라 LEWE에 있는 웬만한 물건은 다 안다고 했다. 다빗의 가이드로 마트를 구경하고 양송이버섯과 당근, 달걀, 양파와 쌀을 샀다. 아직 고추장튜브가 남아있어서 비빔밥을 만들 계획이었다. 알베르게로 도착해서는 조금 지쳐있는 다빗에게 식사가 준비되면 부를 테니 들어가서 쉬어라고 했다. 그리고 언니와 마틴과 같이 요리를 했다. 언니는 밥을 맡았다. 나는 채소를 볶고 달걀프라이를 해야 하는데 기름이 없었다. 비건인 마틴은 매번 요리를 하기 위해 향신료들을 가지고 다녔는데 기름과 소금도 있었다. 요리를 즐겨하는 마틴은 칼질도 빨랐다. 그래서 마틴이 당근과 양파도 다 썰어줬다. 마틴은 오늘 네가 나한테 요리해주기로 한 거 아니냐며 웃으면서 끝까지 요리를 도와줬다.

밥이 뜸이 들기까지 잠시 기다리며 쉬고 있는데 마틸다가 옆으로 와서 조심스럽게 말을 걸었다.

"너희 무슨 사이야?"

"응?"

"다빗이 네 남자친구야?"

"응 맞아"

"너희 너무 귀엽다!"

마침 타이밍 맞게 나온 다빗과 마틸다까지 식사자리에 초대해 같이 밥을 먹었다. 고추장이 매우니까 조금씩 짜서 먹으라고 했는데 다빗과 마틴은 너무 맛있다며 마지막까지 쭉쭉 짜내 그릇을 깨끗이 비웠다.

설거지를 마치고는 아까 지나만 갔던 기사의 성을 가보려고 다빗이랑 다시 산책을 나갔다. 그런데 이미 시간이 지나 문이 닫혀있었다. 아쉬운 대로 성벽을 따라 오르막길을 오르는데 다빗은 사람들 시선이 느껴지냐고 물었다. 블론드의 서양인 남자와 까만 머리의 동양인 여자가 손잡고 걸으니 사람들이 다 한 번씩 쳐다본다는 거였다. 시선을 별로 신경 쓰지 못해서 모르겠다고 했다. 하지만 사람들의 시선과 관심이 조금은 불편할 수도 있겠다는 게 느껴졌다.

걷다가 마트에 들러 아이스크림을 하나씩 사서 손에 쥐고 먹으면서 알베르게로 돌아오는데 비가 떨어지기 시작했다. 습해진 공기에 빠르게 녹는 아이스크림을 얼른 삼키고 발걸음을 재촉했다. 저 멀리 회색 먹구름 뒤로 큰 소리와 함께 천둥번개가 번쩍번쩍하는 게 보였다. 우리는 웃으며 아스토르가에서의 저녁을 떠올렸다. 좋은 날씨든 나쁜 날씨든 그저 우리한테는 하나의 추억이 된다. 저녁에는 다빗과 주방 식탁에 앉아 차가워진 몸을 따뜻하게 해 줄 캐모마일을 마시며 티파티를 했다. 보고 있으면서도 그리운 다빗을 보며 차분하게 하루를 정리했다.

먼저 베드로 돌아가는 다빗에게 인사를 하고 언니와 앉아 지금까지 느꼈던 까미노에 대해 이야기했다. 그때 밖에서 들어온 조르디가 우리 앞에 앉았다.

"조르디, 오늘 시티투어에 같이 못 가서 아쉬웠어요"

"아 괜찮아, 오늘 하루 어떻게 보냈어?"

안부를 물으며 다빗에 대해 물어보는 조르디에게 나는 다빗 덕분에 유럽의 문화도 더 잘 이해하게 되고, 독일어도 배울 수 있어서 좋다고 했다.

"그럼 너는 다빗에게 어떤 걸 해주는데?"

"음 저는 한국어를 조금씩 알려주고 있어요"

"다빗도 한국어 배우는 걸 원하고?"

"..."

나는 생각에 잠겼다. 나에게 다빗과의 대화는 너무 큰 도움이 되는데, 나처럼 다빗에게도 도움이 될까?

잘 모르겠다.

#9 보이는 것과 달리

길을 나서며 다빗에게 물었다.

"어제 조르디랑 이야기하면서 네가 나한테 많은 걸 준다고 하니까 나는 너한테 뭘 주냐고 묻더라"

"그래서 뭐라고 답했어?"

"한국어를 가르쳐준다고 했는데, 그게 네가 진짜 원하는 건지 모르겠어"

"당연하지! 한국어를 배우면 너랑 더 잘 대화할 수 있는데. 그리고 네가 웃을 때마다 너는 이미 나한테 필요한 걸 다 주고 있어"

다빗은 내가 소리 내어 웃을 때까지 나랑 같이 까미노를 걸어서 좋은 이유를 늘어놓았다. 다빗의 이야기를 듣고 있으니 사소한 것도 특별하게 만드는 마법사가 된 기분이었다.

그리고 어제 마틸다가 조용히 다가와 우리 사이를 물었던 것도 이야기했다. 마틸다는 다빗에게도 가서 똑같이 물었었다. 그런 마틸다가 너무 귀여웠다. 또 함께 걸은지 이제 일주일이 채워져 가는데 몇 달은 함께 지냈던 것처럼 설레면서도 편안하고 따뜻한 다빗이 신기했다.

태양이 조금씩 바닥을 데워 뜨거워지기 시작할 때쯤, 한 성당 입구에서 세요를 찍어주는 것을 발견했다. 잠깐 쉬어갈 겸 성당 안으로 들어가 벽에 그려진 벽화와 천장화를 구경했다. 동그란 천장에 그려진 최후의 만찬을 보고 다빗이 물었다.

"예수님까지 총 12명이지?"

"아니야, 제자들만 12명이고 예수님까지는 총 13명이야"

나는 한 사람씩 세어보라며 세례요한이 어디 있는지도 알려줬다. 글을 읽을 수 없었던 시기에 세워진 성당 벽에 그림으로 성경 속 이야기들을 그려놓은 것이 너무 재미있었고, 성당을 아름답게 만드는 그림을 보고 있으면 그 시대로 돌아가 예배를 드리는 흥미로운 상상을 하게 되기도 했다.

다시 밖으로 나와 걷는데 멀리서 갈색과 검은색 털을 가진 큰 개가 우리를 향해 걸어왔다. 혓바닥을 내밀며 웃고 있는 듯한 개는 거칠어 보이는 생김새와 다르게 애교가 많고 친절했다. 자기를 따라오라는 듯이 한걸음 앞서 한참을 같이 걷다가 '여기까지만 안내해 드려요'라고 말하는 것처럼 우리 앞을 돌아 인사하고는 다시 자기가 있던 곳으로 돌아갔다.

곧이어 카카벨로스라는 작은 마을을 지나는데 다빗이 사랑에 대한 이야기를 시작했다.

"모든 사람들은 사랑하기 원하고 또 받기를 원해. 심지어 누군가를 미워하는 마음도 사랑 때문이야. 봐봐, 예를 들어서 어떤 사람이 내 가족을 해쳤어. 그럼 그 사람을 미워하게 되겠지? 그 마음은 내 가족을 사랑하는 마음에서 시작된 미움이잖아."

"그러네, 모든 일은 사랑에서 시작되는 거네."

"그렇지. 그래서 나는 사랑은 살아가면서 가장 중요한 가치라고 생각해."

"나도 동의해. 근데 얼마나 사랑받을 것인가는 내가 결정할 수 없지만, 얼마나 사랑할 것인가는 내가 노력하고 결정할 수 있기 때문에, 사랑을 받는 것보다 하는 게 진짜 중요한 것 같아"

사랑에 대한 가치관을 나누며 지금까지 살아오면서 사랑했던 것들에 대해 돌아봤다. 사랑하는 사람들과 함께 할 때, 여행할 때, 연주할 때, 그리고 지금 걷는 이 까미노에서의 시간을 너무 사랑한다고 이야기했다. 다빗은 오늘 내가 연주하는 걸 볼 수 있겠다고 말했다.

"어떻게? 동영상으로?"

"아니 다 방법이 있어. 도착하면 알게 될 거야"

오늘의 목적지로 한국인들에겐 스페인하숙으로 알려진 도시 비야프랑카에 도착했다. 체크인 후, 샤워를 하고 2층 침대에 누워 잠깐 쉬고 있는데 샤워를 마친 다빗이 배낭에서 무언가를 주섬주섬 꺼내 내 침대로 가지고 왔다. 칼림바였다.

"진짜 칼림바를 가지고 온 거야?! 나 한국에서 가지고 올까 말까 엄청 고민하던 건데!"

"정말? 오기 전에 누나가 선물해 줘서 가져왔어"

픽사 애니메이션 'UP'의 OST를 연주하며 영화의 한 장면 같은 그 순간을 애니메이션처럼 찍어 기억에 남겼다. 내가 원하던 독일어와 춤, 칼림바까지 까미노로망을 다 채워주는 다빗이었다.

점심을 먹기 위해 순례자 메뉴가 있는 레스토랑을 찾았다. 와인이 맛있고 항상 자리가 차있어서 예약을 하고 가야 한다는 후기가 있는 식당이었다. 우리는 언니랑 같이 바에 앉아 기다리다가 자리로 안내를 받았다. 애피타이저, 메인메뉴를 고르고 주변을 보니 옆 테이블에 조르디와 그의 친구들이 앉아 식사를 하고 있었다. 가볍게 인사를 했는데 우리가 디저트를 먹을 때 와인을 한 잔 들고 우리 테이블로 왔다.

"이거 로제와인인데 마셔볼래? 로미오와 줄리엣이랑 잘 어울릴 거야"

단짠단짠의 매력으로 로미오와 줄리엣이라 불리는 이 디저트는 구아바 잼 조각에 치즈를 곁들여 먹는 브라질의 전통 디저트이다. 조르디는 이 디저트의 유래를 이야기해 주며 재치 있는 말장난으로 분위기를 편안하게 만들었다. 잠시 후 조르디가 돌아가고, 표정이 좋지 않던 다빗에게 물었다.

"괜찮아?"

"응 괜찮아"

그리고 알베르게로 돌아가는 길에 이야기했다.

"유독 너한테만 친절한 사람이 있다면 원하는 게 있는 건 아닐까 의심해 볼 필요가 있어."

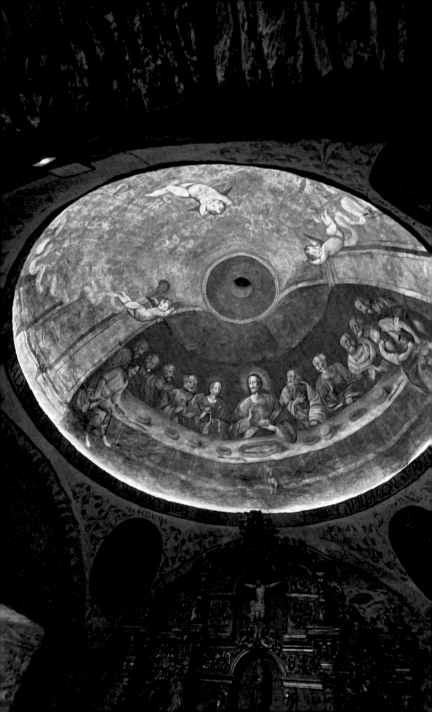

#10 이해되지 않아도

식사를 마치고 돌아온 알베르게에는 마틴도 도착해 있었고, 스페인 커플 안드레아와 안드레스도 알게 되었다. 우리는 서로의 나이를 물어보며 덥수룩한 수염을 가진 안드레스가 우리보다 어리다는 사실에 깜짝 놀라 웃었다. 자연에 둘러싸여 있으니 서로에게 가장 많은 관심을 가지게 되면서 자연스럽게 친해졌다. 마당에 모여서 몸싸움에 가까운 격한 게임도 하고 옆에 놓인 벤치에 앉아 시간을 보내는데 빗방울이 조금씩 떨어지기 시작했다.

"여기 스페인하숙 촬영지까지 걸어갈 수 있잖아. 가볼래?"
지붕 밑으로 들어와 밖을 보고 있는데 언니가 물었다. 한국에서 까미노를 떠올리며 봤던 프로그램이라 흥미롭게 우비를 입고 출발할 준비를 했다. 조르디와 그의 친구도 같이 가고 싶다고 했다. 그렇게 넷이 걸어 지금은 알베르게로 쓰이지 않는 초록문의 건물에 도착해 안을 둘러보는데 생각보다 넓었다. 촬영에 쓰였던 공간은 일부였던 것이다. 많은 스텝들과 배우들이 이곳에서 순례자들을 맞이했을 장면이 저절로 떠올려졌다.

돌아오는 길에는 라면을 파는 가게가 있었다. 스페인하숙의 영향으로 라면과 짜장면, 심지어 김치까지 구비되어 있었다. 눈이 마주친 한글을 외면할 수 없었다. 한 봉지에 2유로라는 어마어마한 유통비가 포함되어 있었지만 다빗과 마틴것까지 구매해 돌아왔다. 그리고 다빗에게 촬영지가 어땠는지 이야기하며 같이 앉아 쉬다가 저녁시간에 맞춰 라면을 끓이기 위해 주방으로 내려왔다. 두 가지 종류의 라면이 섞이지 않게 각각의 냄비에 물을 끓여 매운 라면과 맵지 않은 라면을 구분하고, 알베르게에 있던 포크와 조금은 오목한 접시를 꺼내 식사를 준비했다.

근데 다빗이 보이지 않았다. 전화를 해도 받지 않고 방에 올라가 봐도 보이지 않았다. 하나둘씩 식탁에 모여 앉기 시작했는데 여전히 보이지 않았다. 다들 먼저 식사를 하라고 이야기하고 다시 방에 올라가 봤다. 혹시나 하고 테라스 문을 여니 다빗이 의자에 기대앉아 눈을 감고 있었다.

"괜찮아? 다들 기다리고 있어. 밥 먹으러 가자"
"아, 나 찾았어?"

숨을 고르며 잠긴 목소리로 이야기하는 다빗이 너무 지쳐 보였다. 걱정되는 마음에 질문을 멈추고 다빗 앞에 앉아 무릎에 기대 기다렸다. 다빗은 내 머리를 쓰다듬으며 천천히 심호흡을 했다.

"라면 다 끓였어?"

"응. 전화했는데 안 받더라. 폰 꺼졌어?"

"응. 충전하려고 했는데 남은 콘센트가 안보이더라고"

"나 멀티탭 있어. 내 침대 옆에 콘센트 있는데 거기 연결해 줄게. 폰 줘봐"

다빗은 폰을 건네주며 나를 품에 안고 한참을 가만히 있었다. 말은 하지 않지만 무슨 일이 있었던 건지 혼자만의 시간이 필요해 보였다.

같이 내려와 밥을 먹고 정리한 후에 다시 다빗을 찾아갔다.

"괜찮아?"

"오랫동안 혼자 있다가 갑자기 많은 사람들을 만나서인지 에너지를 많이 썼나 봐"

"오늘은 일찍 자는 게 좋겠다. 내가 아침에 깨워줄 테니까 얼른 자"

다빗은 나를 한 번 안고 입을 맞춘 후에 침낭 속으로 들어 갔다. 완전히 이해할 수 없는 상황임에도 다빗이 이해가 됐다. 무슨 일이 있었던 건지 너무 궁금했지만 다빗이 먼저 말해줄 때까지 기다릴 수 있었다. 그렇게 다빗에게 굿나잇 인사를 하고 내려와 식탁에 앉아 일기를 썼다.

지금 나는 어떤 길을 걷고 있는 거지? 누구와 함께 걷고 있는 거지? 주어진 상황들을 돌아보며 메아리 없는 질문들을 가지고 방으로 올라갔다. 시계가 10을 가리키고 있지만 눈을 감아 밤을 만들어야 하는 스페인의 하늘 아래서 잠에 들었다.

"은파야 잠깐만 일어나 봐"
사방이 깜깜한 조용한 공기 속에서 누가 나를 깨웠다. 옆방에서 자던 언니였다. 모두가 잠에 든 새벽 시간에 조르디가 깨어있었다. 다빗의 말처럼 유독 친절한 사람이 있다면 의심해 볼 필요가 있었다. 나는 잠에 못 드는 언니와 침대를 바꿔 옆 방에서 다시 잠을 청했다.

#11 우리의 정원

간 밤의 소란은 뒤로하고 일어나 아직 깜깜한 새벽하늘을 맞았다. 마을 입구를 벗어날 쯤에야 어둠이 걷히고 파란 하늘이 보이기 시작했다.

"어제는 왜 다른 침대에서 자고 있었던 거야?"
"아 어제 좀 일이 있었어"
다빗과 나란히 걸으며 밤에 있었던 일을 이야기했다.
"둘 다 괜찮아?"
"응 일단 지금은 괜찮아"
괜찮다고 대답했지만 눈앞으로 자욱하게 펼쳐진 안개가 산을 가린 것처럼 답답함과 찝찝함이 여전히 마음 한 편에 남아 있었다. 산길을 따라 꼬불꼬불 걷다 작은 카페를 발견했다. 입구에 멈춰 서니 뒤따라 온 마틴이 멀리서 인사를 하며 다가왔다.

"마틴!! 좋은 아침! 무릎은 좀 어때?"
"좋은 아침! 여전히 천천히 걷고 있지 뭐"
우리는 같이 카페로 들어가 또르띠아와 카페 콘 레체를 주문했다. 어젯밤 이야기를 들은 마틴은 조르디를 마주치면 쌍욕을 퍼부어주겠다며 으름장을 놓았다. 지도를 보며 오늘 어디까지 걸어갈지 이야기 나누던 중, 옆 테이블에 열 살 남짓해 보이는 한국인 남자아이와 그의 어머니가 들어왔다. 우리가 한국어로 대화하는 것을 듣고 먼저 말을 걸어왔다.

"한국에서 오셨죠? 오늘 어디까지 가세요?"

"안녕하세요 아들분이랑 같이 오신 거예요? 너무 멋지세요! 저희는 아마 '오 세브레이로'까지 갈 것 같아요. 어디까지 가세요?"

"오늘 지도 보니까 경사가 심한 구간이길래, 저희는 그 전 마을에서 묵으려고요"

나긋나긋하고 친절한 말씨를 가진 모자의 모습이 너무 예뻤다. 나도 나중에 가족이 생기면 꼭 같이 걸어야겠다고 다짐했다. 카페에서 나와 다시 출발했다. 조금 가다 보인 돌 표지판에는 'Queseria(치즈리아)'라고 쓰인 염소 치즈 공장이 있었다. 바로 옆에서 염소의 젖을 짜는 것을 볼 수 있었고, 공장에서는 네 가지 종류의 치즈를 구매할 수 있었다. 다빗은 맛을 보여주겠다며 하나를 구매해 나왔다. 고소하고 쫀득한 식감의 치즈였다.

갑자기 조금씩 빗방울이 떨어지기 시작했다. 배낭에서 우비를 꺼내 입고 등을 돌려 서로의 배낭에도 방수커버를 씌워줬다. 흙길은 점점 진흙길로 바뀌어 갔고, 말들이 지나가며 푸짐하게 남겨놓은 흔적들이 빗물에 섞여 우리가 밟는 것이 땅인지 똥인지 알 수 없게 되었다. 헛웃음을 뱉으며 겨우겨우 산을 올랐다. 똥길이 끝나는 지점에서 길이 나뉘었다. 왼쪽으로 가면 오 세브레이로까지 가는 것이고, 오른쪽으로 조금 더 돌아 올라가면 '라 파바'라는 독일에서 운영하는 알베르게가 있었다. 그때 언니가 어제 조르디가 오 세브레이로까지 간다는 이야기를 들은 것 같다고 했다. 우리는 지치기도 지쳤고, 더 이상 마주치고 싶지 않은 사람이기 때문에 오른쪽으로 방향을 돌렸다.

알베르게로 들어서자마자 펼쳐진 나무에 둘러싸인 잔디밭의 정원은 정말 아름다웠다. 알베르게 한 편에는 작은 우물이 지팡이를 든 순례자 동상과 나란히 순례자들을 맞아주었다. 독일인 자원봉사자들은 차례를 기다리는 순례자들에게 시원한 웰컴 드링크를 나눠주었다. 아직 체크인까지 30분 정도 남아서 우리는 배낭을 줄 세워 둔 후, 진흙똥으로 범벅이 된 신발을 벗어 차례로 씻어줬다.

햇빛 쨍쨍한 정원에 던져 놓은 신발을 보고 있으니 지금까지 걸어온 길들이 하나하나 생각나기 시작했다. 알베르게에는 거의 매일 마주쳐 우리가 'Opa(오파/할아버지)'라고 불렀던 폴란드 할아버지도 와 계셨다.

체크인을 하고 침대를 배정받았다. 넓은 방과 가벽 사이사이마다 설치된 콘센트, 화장실에 있는 드라이기, 손빨래 후 물기를 털 수 있도록 설치된 수동 탈수기는 그 어느 것보다 감동이었다. 비행기 비즈니스석 정도의 퀄리티랄까. 심지어 주방에는 모든 식재료와 음료들이 도네이션으로 제공되었다. 호스트들과 독일어로 대화할 수 있다는 것까지 모든게 완벽한 알베르게였다.

언니의 침대 머리 맞은편에 새로운 순례자가 자리를 정리하고 있었다. 조르디와 함께 다니던 그의 친구였다. 언니는 조르디가 목적지를 바꿔서 라 파바까지만 온 건 아닌지 긴장하면서 침대를 바꾸고 싶다고 이야기했다. 불안해하는 언니 모습에 다빗은 침대를 바꿔주었고, 호스트를 찾아가 상황을 설명하며 체크인 한 사람들 중에 조르디라는 이름이 있는지 확인을 부탁했다. 다행히 그 이름은 없었고, 그제서야 한시름 놓을 수 있었다.

#12 여름의 와인

빨래를 하며 마주친 오파와 같이 저녁을 먹기로 했다. 주방에 파스타면과 토마토소스가 있는 것을 본 다빗이 요리를 해주기로 했다. 재료 손질을 위해 다 같이 주방에 모여서 나는 도마와 칼을 꺼내 양파를 썰었다. 앉아있던 오파는 독일에 있는 부인에게 사진을 보내야 한다며, 내가 쥐고 있는 칼을 잠깐 빌려 함께 양파를 써는 모습을 한 장 찍고는 다시 칼을 돌려줬다. 오파와의 첫 만남에서도 오파의 사진을 찍어줬었다. 매번 여성 순례자들과 사진을 함께 찍어 부인에게 보내는 오파가 유쾌하고 재미있었다. 다빗은 아까 사 온 염소치즈도 잘라서 완성된 파스타 위에 올렸다. 우리는 포크와 스푼을 놓고 가족처럼 함께 모여 앉았다.

배부르게 저녁을 먹고 다빗이 주방 한켠에 있던 'Pachisi(파치시)'라는 보드게임을 가져왔다. 오파와 다빗은 독일에서 즐겨하는 게임이라며 십자모양의 보드판에 네 가지 색깔의 말을 올리고 주사위를 굴려 말을 옮기는 게임 룰을 소개해줬다. 앞서간 말을 따라잡으면 처음으로 돌아가게 만드는 우리나라의 윷놀이와 비슷했고, 게임은 한국인 초심자의 행운으로 끝났다.

우리는 설거지를 하고 알베르게 마당으로 나가서 처마 밑 벤치에 나란히 앉았다. 소나기가 오며 얇은 빗방울이 가볍게 떨어지기 시작했다. 다빗은 안으로 들어가더니 칼림바를 가지고 나왔다. 칼림바 파우치에 같이 담겨있던 'You are my Sunshine' 악보를 보고 반주하며 같이 노래를 불렀다. 곧이어 언니도 나와 옥상달빛의 '수고했어 오늘도'를 연주했고, 우리는 차분하고 평화로운 분위기를 한껏 느낄 수 있었다. 따뜻해진 우리 마음처럼 하늘도 먹구름을 개고 햇빛을 내리쬐었다. 언니는 칼림바를 가지고 잔디로 나가 나무의자에 앉아서 연주를 했다. 멀리서 평화로운 이 시간을 바라보고 있으니 어제부터 마음 한켠에 계속 가지고 있던 긴장감이 안도감으로 바뀌면서 눈물이 나왔다. 다빗은 깜짝 놀라며 조용히 나를 안아줬고 같이 눈물을 흘렸다. 우리는 언니에게 눈물을 들키지 않으려고 작은 우물로 가 발을 넣고 등을 지고 앉았다. 그리고 웃었다.

"조금 나가면 카페가 있다던데 다녀올까?"

다빗은 일어나 내 손을 잡고 일으켰다. 걸어서 5분 정도 걸어 올라가면 테라스가 있는 작은 카페가 있었다. 가는 길에 나가서 산책하던 오파를 마주쳤다.

"Wohin geht ihr?(너희 어디가?)"

"Wir gehen ins Café(카페 가려구요)"

그 카페에 갔다가 돌아오고 있던 오파는 카페에서 만났던 사람들에 대해서 이야기했다. 우리가 멈춰 서있던 길 양 옆으로는 들판이 있고 소들이 풀을 뜯고 있었는데, 오파가 이야기를 이어가며 갑자기 옆에 있던 풀을 '퓩' 하고 뽑았다. 다빗과 나는 동시에 웃음이 터졌다. 이번엔 너무 웃겨서 눈물이 나기 시작했다.

"Warum lachst du denn?(근데 왜 웃는 거야?)"

오파는 어리둥절해하며 알베르게로 발걸음을 돌렸다.

"내가 어릴 때 매일 하던 행동이야 저거!"

다빗은 오파의 행동을 생각하면 어린 시절의 자신이 떠오른다며 계속 웃었다. 나도 아무 의도 없이 순수한 오파의 행동이 너무 귀엽고 웃겼다. 울다가 웃다가 또 우니 몸이 나른해졌다. 얼굴에서 떠나지 않고 자연스레 머무르는 미소를 가지고 카페에 도착했다. 다빗은 자기가 보여주고 싶은 게 있다며 'Tinto de Verano(틴토 데 베라노)'

두 잔을 주문했다. 유리잔에 위스키를 조금 넣고 레몬에이드와 얼음, 마지막으로 레드와인을 가득 채운 칵테일이었다. 우리는 잔을 들고 테라스로 나가 마주 보고 앉았다.

"우아 뭐야? 너무 맛있다!"

"처음 마셔보는 거야? 유럽에서 흔히들 먹는 와인이야"

"응 처음이야. 메뉴판에 없는 거잖아"

달달하고 톡 쏘는 와인에 부드럽고 시원한 바람까지 불어오니 모든 걱정들이 눈 녹듯 사라졌다. 그리고 아무 말 없이 앞에 앉은 다빗의 눈을 가만히 보고만 있어도 다빗이 온전히 내 편이라는 것이 느껴졌다.

"Du bist wirklich ein guter Mensch(너는 진짜 좋은 사람이야)"

"Denn du bist ein guter Mensch(네가 좋은 사람이니까)"

#13 일상이 된 행복

창 밖에서 들어오는 따뜻한 빛이 아침을 깨웠다. 떠나기 아쉬운 라 파바 알베르게를 뒤로 하고, 164.5km 남은 까미노 위로 다시 올랐다. 깨끗한 하늘은 우리가 저 멀리 있는 산까지 볼 수 있도록 구름을 산 봉우리 위로 살짝 올렸고, 앞뒤좌우를 다 둘러봐도 초록초록한 산이 우리를 감싸는 게 말 그대로 자연에 둘러싸여 걷는 길이었다. 산 중턱에서 행복하게 꼬리를 흔드는 보더콜리 한 마리를 만났다. 말들을 끌고 오는 주인을 안내하며 앞장서서 우리를 향해 걸어왔다. 잠깐 옆 길에 비켜서서 말들이 다 지나갈 때까지 기다렸다. 오늘은 최종 목적지 산티아고 데 콤포스텔라가 있는 지방인 갈리시아로 들어가는 날인데 그게 신나면서도 아쉽고 그랬다.

조금 걸으니 허기가 진 다빗은 가방에서 사과를 꺼내 먹었다. 급하게 먹더니 꺼-억하고 시원하게 용트림을 했다. 상상이상으로 큰 트림소리에 놀라서 웃음이 터졌다. 그때부터 다빗이 트림을 하면 나는 "Apfel(사과)"라고 말했다. 트림이 독일어로 뭔지는 모르지만 'Apfel'이 이제 두 가지의 뜻을 가지게 되었다.

갈리시아는 정말 아름답다. 높이 서서 내려다보는 갈리시아의 전경은 내가 가진 모든 문제를 그저 작은 먼지처럼 느끼게 했다. 우리는 잠깐 돌 담에 앉아 불어오는 바람에 땀을 말렸다.

"한국어로 'Ich liebe dich'가 뭐야?"

"사랑해"

다빗은 한국어로 사랑해를 몇 번 연습하더니 잠깐 어디론가 가서 데이지 하나를 가져왔다. 그리고 꽃잎을 하나씩 뜯으면서 말했다.

"사랑해, 안사랑해, 사랑해, 안사랑해..."

그리고 마지막 남은 노란 암술을 놓으며 말했다.

"사랑해!"

산을 오르막 내리막하니 금방 지쳐버려 우리는 폰프리아라는 작은 마을에 멈췄다. 까미노 경로를 보여주는 어플인 '부엔 까미노'에서 정보를 거의 확인할 수 없는 마을이었는데 감사하게도 바로 보이는 버섯처럼 생긴 둥근 오두막이 알베르게였다. 벽에 붙어있는 여러 안내 포스트에 한국어로 '자전거 대여'라고 적혀있는 것을 보며 까미노에 한국인이 정말 많다는 걸 다시 한번 체감할 수 있었다. 호스트는 체크인을 하며 5유로 보증금을 주면 탁구를 칠 수도 있고, 나중에 식사는 다른 오두막에서 다 같이 한다고 안내해 줬다. 거실에는 디지털 피아노도 있었다.

우리는 샤워와 빨래를 하고 침대에 누워 조금 쉬었다. 나는 거실에 있던 피아노가 자꾸 아른거려 조용히 거실로 나가 전원을 켰다. 볼륨을 조금 키워 아무 코드나 손이 가는 대로 눌렀다. 그라눅 이후 다시 오랜만에 건반을 누르니 신이 났다. 캐논을 여러 버전으로 바꿔가며 연주했다. 무릎 위로 천천히 손을 내리고 고요한 공기를 마시니 소파에 앉아 책을 읽던 순례자가 말을 걸어왔다.

"방금 그 곡 제목이 캐논이었나요?"

"맞아요!"

"너무 멋지네요! 좋은 연주 들려줘서 고마워요"

곧이어 다빗이 방에서 나왔다. 그리고 옆에 앉아 다시 시작된 연주를 가만히 들었다.

"다빗, 듣고 싶은 곡 있어?"

다빗은 고민하더니 구글에 악보를 검색해 보여줬다. 나는 처음 보는 악보를 보며 연주했고, 해리포터를 좋아하는 다빗의 누나를 위해 해리포터 ost를 찍어 영상을 보내기도 했다. 그리고 신이 나서 다빗이 어릴 때 즐겨 들었던 곡을 연주하는데 갑자기 다빗이 눈물을 흘리기 시작했다.

"괜찮아?"

"응 괜찮아, 어릴 때 생각이 많이 나고 너무 행복해서 그래"

다빗의 향수를 자극한 노래였다. 피아노로 다빗을 행복하게 했다는 것이 기뻤다.

"Du weißt gar nicht, wie glücklich ich bin, dich getroffen zu haben.(너를 만나서 얼마나 행복한지 너는 모를 거야)"

다빗은 눈물을 닦으며 말했다. 우리는 한참을 더 연주하고 노래도 부르며 여유로운 시간을 보냈다.

"우리 탁구 치러 갈까?"

카운터에 5유로를 맡기고 탁구채 두 개와 탁구공 하나를 받았다. 정원에 놓여있던 탁구대는 내린 비에 젖어 미끄러웠다. 우리는 탁구대를 평평한 바닥으로 옮기고 탁구 내기를 시작했다. 진심이었던 다빗은 이리저리 빠르게 움직였고, 결국 하나뿐이던 플립플랍 한 짝이 떨어져 버렸다. 게임에서 진 사람이 엉덩이로 이름을 써야했다.

다빗은 엉덩이로 대문자 D를 그리고, 카운터에서 다시 보증금 5유로를 돌려받았다.

저녁시간이 되어 우리는 밑에 있는 다른 오두막으로 가서 알베르게에 있던 모든 순례자들과 함께 저녁을 먹었다. 빵을 돌려 나누고 고기 수프와 와인을 나눠 마셨다. 우리 양 옆으로 있던 미국과 이탈리아 순례자들은 끊임없이 와인을 따라주며 까미노에서 촬영한 각종 사진과 영상을 보여줬다. 50명 남짓한 많은 사람들이 둘러앉은 넓은 식탁에서의 시끌벅적한 식사에 정신이 혼미해졌다. 우리는 알베르게로 돌아와 아이스크림을 하나 사서 나눠먹고, 정신없이 지나간 저녁식사의 여운을 차분히 가라앉히기 위해 일찍 자리에 누워 하루를 정리했다.

#14 천천히 멈춰가며

밤새 마른빨래를 걷어 배낭에 챙겨 넣고 밖으로 나오니 빨간 노을이 하늘을 노랗게, 아직 어두운 구름은 파랗게 물들이고 있었다. 두 시간 정도 걸으니 허기가 져서 카페에 들어가 또르띠아와 카페 콘 레체를 주문하고, 지금껏 한 번도 보지 못했던 두꺼운 또르띠아와 바게트 한 조각을 받았다. 케이크 조각처럼 잘린 또르띠아의 표면에 차곡차곡 쌓여있는 얇은 감자의 결이 기가 막힌 식감을 만들었다. 조금 먹다가 다빗이랑 눈이 마주쳤는데 다빗은 내가 딸기잼을 원하는 걸 바로 눈치채고는 카페주인에게 딸기잼을 받아와 내 손에 쥐어줬다. 표정만 보고도 뭘 원하는지 아는 다빗이 너무 신기하고 고마웠다.

숲 길을 따라 걷다 작은 오두막을 하나 발견했다. 열린 문으로 소파에 놓인 기타와 책상 위에 펼쳐진 그림들이 보였다. 파란 문 옆에는 'Art's Gallery'라는 문패가 알록달록한 화살표와 함께 걸려있었다. 알록달록한 엽서와 그림들로 가득 채워져 있던 아늑한 오두막은 우리의 발걸음을 멈추기에 충분했다.

어디서부터 따라온 건지 잠깐 멈춰 선 길 뒤에서 작은 갈색 강아지가 따라왔다. 친절하고 애교 많은 순례길의 강아지들을 만날 때마다 환영받는 것 같아 기분이 좋다. 인사하고 다시 출발하는데 뒤이어 익숙한 얼굴의 한 순례자가 강아지와 인사를 했다. 어디서 봤던 거지? 생각하며 걷다가 자연스럽게 잊어버렸다.

끊임없이 오름직한 동산을 올라 조금 지칠 즈음에 나무그늘 아래 설치되어 있는 간식자동판매기를 발견했다. 바로 앞 벤치에는 금발머리의 파란 눈을 가진 한 순례자가 앉아 쉬고 있었다.

"안녕! 친구, 우리 너무 닮았는데?"

파비앙은 웃으며 다빗에게 먼저 인사를 건넸다. 다빗은 손을 건네어 악수하고는 벤치에 나란히 앉았다. 스웨덴에서 온 파비앙은 우리가 왜 손을 잡고 다니는 건지, 어디서 온 건지, 우리가 느낀 순례길은 어떤지 궁금해했다. 나는 다빗을 한 번, 파비앙을 한 번 보며 이야기했다. 정말 닮아 있었다. 이야기가 길어지자 파비앙은 담뱃잎과 종이를 꺼내 담배를 말기 시작했다.

"혹시 담배연기를 싫어하면 미안해"

"괜찮아, 충분히 시간 가져"

다빗은 자판기에서 스니커즈와 파워에이드를 뽑았다. 이야기에 빠져 배낭과 마음을 내려놓고 편안한 시간을 보냈다. 조금 있으니 언니가 벤치에 앉아 있는 우리를 지나쳐갔다.

"우리도 다시 출발할까?"

자리를 정리하며 파비앙과 인스타그램 아이디를 주고받았다.

"오늘 어디까지가? 혹시 사리아에 가는 거면 오늘 저녁에 연주회가 있대. 나중에 보내줄 테니까 확인해 봐"

"고마워. 또 길에서 보자"

조금 가니 도네이션으로 커피를 마시며 쉴 수 있는 공간이 있었다. 가장 안쪽 자리에 언니와 아까 강아지를 만났던 길에서 봤던 익숙한 순례자가 앉아 커피를 마시며 같이 핸드폰을 보고 있었다.

"어? 인사하고 갈까?"

"아니, 우리 빨리 지나가자"

다빗은 눈치없이 멈추려는 내 손을 잡아당겨 다시 출발했다. 그리고 이 작은 마을의 끝에 있는 카페로 데려갔다. 마침 언니에게 어디냐는 연락이 왔고, 우리는 이 카페에서 만나기로 했다.

언니가 알렉스와 같이 카페로 들어왔다. 알고보니 알렉스는 우리와 라파바에서 아침을 먹을 때 잠깐 마주쳤었다. 마드리드에 사는 알렉스는 영어가 서툴러 우리와는 번역기로 소통했고, 스페인어를 조금 할 줄 아는 다빗과는 편하게 스페인어로 이야기했다. 알렉스는 무릎에 부상이 생겨 천천히 언니와 같은 속도로 걸었다.

다빗과 다시 둘이 걷는데 다빗이 목이 말랐는지 가방에 연결된 호스로 물을 한입 가득 머금었다. 앞에 서서 다빗의 표정을 따라하는 나를 보고 웃음이 터진 다빗은 입안에 있던 물을 내 얼굴에 그대로 뿜었다. 3초간 정적이 흐르고, 앞머리에서 떨어지는 물방울에 나도 웃음이 터졌다. 다빗은 웃으며 저 멀리 도망가버렸다. 나도 믿어지지 않는 이 상황에 어이가 없어 웃으며 다빗을 따라갔다.

"고마워! 더웠는데 덕분에 시원하네?"

"별말씀을~"

저 멀리 서서 나를 기다리는 다빗을 향해 걸어가는데, 그냥 오랜 친구랑 신나게 노는 듯한 느낌이었다. 까미노에서 최고로 친한 친구를 찾았다.

#15 함께하는 길

사리아를 떠나며, 같이 걷는 동안 할 수 있는 한국말이 많아진 다빗과 한국어로 대화했다.

"Sprich Koreanisch!(한국말해!)"
"Sprich Deutsch!(독일말해!)"
"Sag etwas(아무거나 말해봐)"
"나는 한국말할 쑤 이써요"
"Ja stimmt! 맞아"
"너도?"
"응, 나도 한국말 할 수 있어요"
빠르게 한국어를 습득하는 다빗이 놀라웠고, 걸음마 떼듯 조금씩 서로의 언어를 알아가는 게 정말 재미있었다. 20km를 걸어 조금 지칠 때쯤 한 카페에서 빵 굽는 냄새가 났다.
"저 카페에서 크레페 파나 봐. 먹고 가자"

카페로 들어가 다빗은 내 뒤에 서서 배낭을 잡아 살짝 들어줬다. 배낭의 가슴 스트랩을 풀고 허리벨트를 풀어 7킬로의 배낭에서 벗어났다. 다빗은 배낭을 가게 안쪽 공간

에 나란히 옮겨놓고, 누텔라 크레페 두 개와 라들러 두 잔
을 주문했다. 삼등분으로 접힌 크레페 위에 생크림이 올
려져 나왔다. 다빗과 앉아 길에서 자주 만나는 오파에 대
해 이야기를 하고 있었는데 갑자기 오파가 가게 안으로
들어왔다. 정말 깜짝 놀랐다.

"Opa ist überall(오파는 어디에나 있어)"

다빗이 미소 지으며 나에게 조용히 속삭이는 동안 오파
는 주문을 마치고 다빗 옆에 앉았다. 폴란드에서 온 오파
는 느리지만 알아듣기 어려운 악센트의 독일어로 이야기
했는데, 다빗이 웃으면서 장난스러운 말투로 오파와 대
화를 이어갔다. 무슨 말인지 유추해보려 했지만 어려웠
다.

"무슨 대화한 거야?"

"몰라, 뭐라고 했는지 맞춰봐"

"왜 뭔데, 말해줘"

"나중에 우리가 결혼하면 오파가 주례를 서주시겠대"

"아 진짜?"

우리의 모습이 보기 좋다며 결혼을 하라고 하는 오파의
말이 유쾌하고 감사했고, 오파 덕분에 우리를 귀엽게 봐
주는 사람들의 시선과 마음이 느껴졌다.

오파가 먼저 출발하고 우리도 뒤따라 나왔다. 오늘 우리가 묵을 마을인 포르토마린은 이름처럼 물의 도시였다. 댐을 가로지르는 긴 다리를 건너 도착했다. 가파른 계단을 오르기 전 마을 안내판 앞에 서서 어디로 가야 할까 고민하는 중에 오파가 도착했다. 부인이 예약해 준 알베르게가 있는데 어딘지 모르겠다고 말하는 오파를 도와 알베르게에 전화를 걸어 확인하고 같이 계단을 올라갔다. 내려다보는 호수의 푸른빛은 반짝거리는 윤슬에 반사되어 더욱 아름다웠다.

비가 조금씩 떨어지기 시작했다. 시계는 벌써 오후 3시를 넘어가고 있었고 우리는 서둘러 알베르게를 찾아 들어갔다.
"죄송해요, 이미 베드가 다 찼어요. 다른 알베르게에 한번 연락해 볼게요, 잠시만 기다려주세요"
도착한 알베르게는 모든 베드가 차있었고, 호스트는 지도를 보며 몇 군데 전화를 하더니 주소를 하나 적어줬다. 우리는 감사인사를 하고 나와 종이에 적힌 주소를 따라 들어갔다.

"저희 네 명 체크인하려고 하는데요"

"아, 두 명 아니었나요? 두 자리 밖에 남지 않아서요, 잠시만 기다려주세요"

늦게 도착하는 언니와 알렉스의 베드까지 함께 예약하려니까 자리가 부족했다. 호스트는 또 다른 곳에 전화를 하더니 주소를 적어줬다. 도와주는 손길들 덕분에 세 번째 알베르게에 도착해서는 네 개의 베드를 잡을 수 있었다. 지그재그 가파른 계단을 올라 자리를 정리하고 같이 샤워실로 가서 한 칸씩 분리된 샤워 부스로 들어가 씻기 시작했다. 샤워를 하며 옆 칸에 있는 다빗과 대화하는데 기분이 묘하게 이상했다. 따뜻한 물에 몸도 나른하고 다정한 대화에 마음도 나른했다.

길에서 만났던 해찬오빠와 영규오빠가 포르토마린의 다른 알베르게에 같이 묵고 있다는 연락을 받았다. 우리는 다 같이 저녁을 먹기로 약속하고 알렉스와 언니를 기다렸다. 갈리시아 지방은 뽈뽀(문어) 요리와 해산물이 다 맛있다며 알렉스가 우리를 한 레스토랑으로 안내했다. 스페인은 구글평점이 제일 신뢰 있는 평가라 알렉스도 구글 평점을 보고 찾았다고 했다. 스페인인 알렉스 덕분에 친해진 직원들과 같이 사진도 찍고, 와인을 쏜 영규오빠 덕에 파티 같은 저녁시간을 보낼 수 있었다. 베지테리언인 다빗은 먹을 수 있는 메뉴를 찾다 'French Omelette(프랑스식 오믈렛)'을 주문했는데 우리가 매일 아침마다 먹던 또르띠아가 한 조각이 아닌 한 판이 나왔다. 웃픈 미소를 지으며 다빗은 반은 먹고, 반은 내일 아침을 위해 포장했다.

밖으로 나오니 비가 더 거세게 오고 있었다. 디저트로 먹을만한 것을 찾으며 지붕으로 덮여 연결된 길을 걷는데 언니가 광장에 우산을 쓴 동상과 사진을 찍고 싶다고 했다.
"저게 무슨 동상인데?
"몰라, 그냥 같이 찍고 싶어"
"왜?"

"은파 T죠?"
오빠들은 우리 대화를 듣고 빵 터져서 서운해하는 언니를 데리고 같이 사진을 찍으러 갔다. 아직도 그게 무슨 동상인지는 잘 모르지만 재미있는 에피소드가 되었다.

가까이 있던 젤라또 가게를 발견해서 들어갔다. 각자 먹고 싶은 맛을 골라 아이스크림을 담았다. 나는 산티아고 맛과 피스타치오맛을 골라 반씩 담았다. 산티아고맛은 치즈케이크 베이스의 달콤한 바닐라 맛이었다. 초코맛을 골라 담은 다빗은 내 것까지 계산해 줬다.

오빠들과 인사하고 돌아온 우리 방에는 우크라이나에서 온 데이빗이 베드를 정리하고 누워 있었다. 러시아와의 전쟁에 아픔을 겪고 있는 우크라이나에 대해서 같이 이야기도 하고, 100km도 채 남지 않은 까미노에 대한 아쉬움을 함께 나누기도 했다.

옆에서는 한 독일인 부부가 2층침대 앞에 서서 대화를 하고 있었는데, 블론드에 파란 눈을 가진 다빗은 독일인이 아닌척 입술을 닫고 조용히 듣고 있었다.

"잘 들어봐, 지금 누가 2층을 쓸지 이야기하고 있어. 남자가 어제 1층을 썼나 봐, 지금 아내분이 자기가 1층을 써야 한다고 말하고 있어. 독일인들은 항상 공정성에 대해 이야기해"

독일어를 못 알아듣는 척하며 조용히 속삭이는 다빗이 너무 웃겼다.

"너도 독일인이잖아"

"맞아, 그러니까 우리는 오늘 1층에서 자자"

다빗은 나를 끌어안고 베개에 머리를 뉘었다.

"진짜 100km도 안 남았어. 일주일도 안 남았다 그치"

"맞아. 일찍 길에서 너를 만난 게 너무 다행이야"

#16 기대가 주는 안정

일어나 창밖을 보니 자욱한 안개를 뚫고 길을 나서는 순
례자들의 뒷모습이 보였다. 우리도 자리를 정리하고 배
낭을 챙겨 노란 화살표를 따라 걸었다. 갈리시아 지방은
스페인에서 가장 서늘하고 습한 지역으로 비도 자주 오
고 안개도 흔하게 보인다. 그래서 갈리시아에 가까워질
수록 비가 자주 내렸던 것이다.
포르토마린을 빠져나오니 사방은 나무가, 하늘은 안개
가 우리를 둘러쌌다. 서쪽으로 갈수록 안개는 더욱 짙어
졌다. 처음에는 저 멀리 사람들의 실루엣이 그림자처럼
보이다가 한 시간쯤 걸으니 모두 안개에 가려 앞뒤로 아
무도 보이지 않았다. 말 그대로 아무것도 보이지 않았다.
한 발 한 발 탐험하듯 조심스레 걸어갔다.

안개는 시야도 가리고 소리도 먹었다. 우리의 대화 말고
는 아무 소리도 들리지 않았다. 그 때 다빗이 물었다.
"산티아고에 도착하면 이제 어디로 가?"
"나는 언니랑 유럽을 더 여행하다 돌아가기로 했어. 포르
투갈로 넘어가서 기차로 다시 스페인까지 가고, 바르셀

로나에서 비행기 타고 프랑스 니스에 갔다가 베를린으로 갈 거야. 너는?"

"나는 산티아고에서 바로 독일로 돌아가는 비행기를 예약해 놨어"

산티아고까지 이제 5일 남았다. 우리는 길에서 만난 인연이기 때문에 이 길 밖에서의 삶은 전혀 달랐다. 나는 산티아고를 삶을 작게 축소한 길이라고 생각했고, 그저 이 길의 끝까지 최선을 다하기로 했다. 하지만 다빗은 달랐다. 한참 동안 말이 없던 다빗은 다리를 건너다 생각을 멈춘 듯 걸음을 멈춰 세웠다.

"너만 괜찮으면, 나도 너희랑 같이 여행 가고 싶어"
상상도 못 한 말에 놀라 나도 생각이 멈춰버렸다.
"정말? 나도 너랑 같이 가면 너무 좋지. 근데 우리는 몇 달 전부터 계획한 여행이라 이동편과 숙소를 다 예약해둬서 부담이 없지만, 지금 여행을 계획하려면 시간도 돈도 많이 들 텐데.?"
"응 알지, 나 시간 많아. 그리고 유럽은 나한테 하나의 국가랑 같아서 독일의 다른 도시를 여행하는 거랑 크게 다르지 않거든. 그리고 아시아에서 온 여자애 둘이 그렇게 대도시들을 여행하면 너무 위험하기도 하고, 여행 계획을 들어보니까 재미있을 것도 같고.. 또.."

다빗은 같이 여행을 가고 싶은 여러 이유를 설명하면서 언니만 동의하면 같이 가고 싶다고 말했다. 나는 언니한테 전화해 상황을 설명했다. 언니도 흔쾌히 좋다고 했고, 그렇게 함께할 수 있는 시간이 한 달 정도 늘어났다.

이게 가능하다고? 나에게 유럽여행은 너무나도 큰 여행이었기에 다빗의 결정이 조금은 충격으로 다가왔다. 물론 좋은 충격이었다.

안개를 벗어나 도로 가에 있는 카페에 도착했는데도 여전히 안갯속에 둘러싸인 것처럼 어안이 벙벙했다. 가슴 저 아래 있었던 파란 감정이 서서히 걷히고, 다빗과의 미래를 희미하게 그려가기 시작했다. 하늘은 파랗게 펼쳐져 있었다. 앞으로 계속 다빗이랑 함께할 수도 있겠구나라는 희망적인 상상이 함께 펼쳐졌다.

오늘 도착한 팔라스 데 레이의 알베르게에서 반가운 얼굴들을 다시 한번 만났다. 일주일 전쯤 만났던 스페인 커플 안드레아와 안드리아, 어제 같이 저녁을 먹은 해찬오빠가 샤워를 마치고 로비에 나와 있었다. 우리는 알렉스와 언니를 기다리며 인사를 하고 3층으로 올라갔다. 샤워실과 주방, 휴게실이 잘 분리되어 있는 알베르게였다. 독일에서 온 청소년 단체도 같은 층에 묵고 있었는데 그 에너지로 활기가 넘쳤다.

우리는 침대에 누워 다리를 쭉 뻗고 잠깐 쉬었다. 창문 밖으로 빗방울 떨어지는 소리가 들리기 시작하더니 무겁게 비를 머금고 있던 먹구름이 시원하게 물을 다 쏟아냈다. 우리는 소리가 잠깐 잠잠해졌을 때 서둘러 밖으로 나왔다. 언니랑 알렉스는 앞에 있는 카페테라스에 앉아 와인을 마시고 있었다.

"잘 쉬었어? 우리가 저녁 먹을 곳을 검색해 봤는데 여기어때?"

언니가 보여준 곳은 걸어서 5분도 채 걸리지 않는 곳에 위치한 구글 평점 4.6에, 후기가 1,300개에 달하는 뽈보리아였다. 비가 더 내리기 전에 발걸음을 재촉해 뽈보리아로 갔다. 이미 가게 앞은 사람들로 북적북적했고, 비에젖은 테라스 자리만 남아 있었다. 알렉스는 안으로 들어가 자리를 물었다. 직원은 안쪽 자리는 예약을 해야 하고, 테라스는 지금 앉을 수 있다고 안내해 줬다. 우리는 같은 마음으로 서로에게 묻지도 않고 테라스에 있는 마른 의자를 골라 앉아서 주문을 했다.

"다빗, 또르띠아 한 판 통째로 주문하지 않게 조심해"

"오, 한 일주일 동안은 또르띠아 안 먹어도 돼"

우리는 와인과 뽈뽀요리를 주문했고, 문어를 먹지 않는 다빗은 메뉴를 보며 타파스 하나를 주문했다.

"와 진짜 맛있다. 여기는 내일 아침에 와서 또 먹고 싶은 정도야"

식사를 마칠 때쯤 직원이 와서 디저트를 물었다. 알렉스는 치즈케이크를 추천해 줬고, Tarta de Queso(치즈 케이크) 4개를 주문했다.

"Wow. Ich habe den Kuchen noch nie so lecker gegessen(이렇게 맛있는 케이크는 처음이야)"

"Ich auch!(나도!)"

한 스푼 입에 넣자마자 진실의 미간을 보이는 다빗과 눈이 마주쳤다. 살면서 한 번도 먹어본 적 없는 적당한 달콤함에 부드럽고, 촉촉하고, 향긋한 치즈케이크였다. 동그란 케이크의 바닥은 크런치로 깔려있고, 치즈는 단단한 커스터드 크림 같았다. 치즈 위에는 딸기 잼과 땅콩가루

로 토핑 되어 한 스푼 케이크를 뜨면 완벽한 한 입이 완성
되었다.

"Cinco tortas de queso, sólo para mí, por favor. (저
치즈케이크 5개 더 주세요)"
혼자서 다섯 개는 그냥 먹을 수 있는 맛있었다.

치즈케이크에 취해 행복한 저녁을 보내니 시간은 벌써
10시가 다 되어가고 있었다. 우리는 밝은 하늘에 눈치채
지 못하고 있다가 뒤늦게 10시면 알베르게 문이 닫힌다
는 사실을 깨닫고 비를 뚫고 빠르게 달려갔다.
하지만 이미 문은 굳세게 잠겨있었다. 다빗이 담을 넘으
면 들어갈 수 있을 것 같다며 낮은 벽을 찾아 눈을 돌리
던 중에 안에 있는 해찬오빠가 생각이 났고, 조심스럽게
연락을 했다. 조금 뒤 웃으며 등장해 문을 열어준 해찬오
빠 덕분에 침대로 돌아왔다.

"오늘은 말도 안 되게 진짜 행복한 시간만 보냈어"
"맞아. 이제는 진짜 산티아고가 기대된다 그치?"

#17 한 두 번이지만

까미노에는 정이 많은 한국인들이 많다. 오늘은 햇빛 쨍쨍한 한 카페의 테라스에서 젊은 한국인 부부를 만났는데, 우리를 보자마자 사과 두 개를 손에 쥐어주셨다. 우리도 그냥 갈 수 없어 감사인사와 함께 가지고 있던 초콜릿을 선물했다. 이 길에서 한 두 번 마주치는 게 다지만 그 순간순간이 소중하기만 하다.

함께 출발한 언니랑 알렉스가 우리를 앞서 걷고 있었다. 다빗은 장난기 어린 눈빛으로 무엇인가 검색하더니 뒤통수를 향해 외쳤다.
"결혼해 주세요!"
알아들은 언니는 뒤로 돌아보며 다빗의 이름을 불렀고, 재미를 느낀 다빗은 몇 번이고 더 결혼해 달라고 말했다. 10번쯤 말했을 때, 이번엔 알렉스가 돌아보며 무슨 뜻이냐고 물었다.
"음..! 한국어로 부엔까미노라는 뜻이야"
기가 막힌 순발력으로 위기를 모면한 다빗이 너무 웃겼다. 이제 부엔까미노는 두 가지 뜻을 가지게 되었다.

숲길이 많은 갈리시아 지방은 조용하다. 아직 주말이 아니어서 그런지 사람들도 많이 없다. 그래서 길에서 마주치는 사람들을 잘 기억할 수 있어서 좋다. 도시를 나오면서 카메라를 목에 걸고 통이 넓은 바지를 입은 한 소년을 마주쳤다. 그의 시선을 통해 카메라에 담긴 산티아고의 모습이 궁금하다는 생각을 했다.

조금 지났을까 다빗과 나무밑에 앉아서 등을 기대고 앉아 쉬고 있는데 그 소년이 나무지팡으로 바닥을 치며 우리 앞을 지나갔다. 그리고 얼마 있지 않아 다시 돌아와서 반대로 우리 앞을 또 지나쳐 갔다.

"우리한테 하고 싶은 말이 있는 것 같지?"
다빗이 작은 목소리로 나에게 말했다.
"응 아무래도 우리한테 관심이 있는 것 같은데?"
다빗과 나는 다시 소년이 돌아오기를 기다렸다. 그리고 바로 길 끝에서 모습을 보였다.
"안녕, 혹시 너희 커플이야?"
"안녕, 응 맞아"
"어디서 만났어?"
"우리 여기 까미노에서 만났어"

"너희 정말 귀엽다. 혹시 괜찮으면 너희 사진을 좀 찍어도 될까? 길에서 만난 사람들의 모습을 담고 있거든"
"그럼 물론이지"
소년은 사진을 몇 장 찍고는 가벼운 발걸음으로 다시 길을 걸어갔다.
"너무 귀엽다 그치"
"응 근데 우리 보고 귀엽대. 진짜 귀엽다"

산티아고까지 얼마 남지 않았다는 아쉬운 생각은 이제 여유로운 마음으로 바뀌었다. 커피가 생각나면 카페에 들러 한 시간 동안 앉아 햇빛을 쬐기도 하고, 조금 지치면 배낭을 내려놓고 바람을 쐬기도 했다. 그러다 보니 알베르게에 도착하는 시간이 12시가 넘어가기 시작했다. 정오가 지나면 태양이 정수리를 넘어 얼굴 앞으로 넘어간다. 하얀 모래바닥에 반사된 햇빛은 눈을 따갑게 비추고, 뜨겁게 달구어진 바닥은 에너지를 순식간에 빼앗아 버린다. 오늘은 언니랑 알렉스랑 멜리데에 있는 뽈보리아에서 점심으로 먹고 다음 마을로 넘어가기로 했는데 발걸음이 빠른 우리가 먼저 멜리데의 강을 가로지르는 다리 앞에 도착했다. 5분쯤 앉아 기다렸을까, 30도가 넘는 열기에 지친 다빗은 여기 멜리데에서 배낭을 풀자고 제안했다.

나도 다빗의 말에 동의해 멜리데에 있는 알베르게 위치를 검색하고 있었다. 그때 아까 그 카메라 소년이 멀리서 걸어오는 게 보였다. 아까 가지고 있던 나무지팡이는 어디 갔는지 보이지 않고, 힙한 걸음걸이로 우리 옆에 와서는 돌담에 걸쳐 앉았다.

"안녕, 나는 다빗이야. 이름이 뭐야?"

"이스마엘이야"

"혼자 온 거야?"

"아니, 삼촌이랑 이모랑 같이 왔어"

15살 남짓해 보이는 이스마엘은 호기심이 많고 씩씩했다. 이 길에 이스마엘을 함께 데려온 어른들이 멋지다고 생각했다.

작은 정원이 있는 알베르게에 짐을 풀었다. 고양이들이 나비를 쫓아다니고, 바람에 빨래가 흔들리는 것을 보고 있으니 자연스레 숨 쉬는 속도가 느려졌다.

다빗이랑 피자집에 가서 점심을 먹고 마트에서 장을 보고 돌아왔다. 그리고 저녁에는 포장해 온 남은 피자를 데

워 정원에 있는 테이블에 앉아 맥주랑 같이 먹었다. 이제
일상이 된 까미노를 다빗 빼고는 설명할 수가 없다.

#18 마음이 모이면

34km를 걸으려면 5시 반에는 출발해야 가장 뜨거운 태양을 피해 알베르게에 도착할 수 있다. 아직 깜깜하고 차가운 하늘에서 빗방울이 조금씩 떨어지기 시작했고, 노란 우비를 가방까지 감싸 입고 조용히 알베르게 뒷 문으로 나와 오늘도 까미노 위에 올랐다.

"Perfeckter Tag, Regen, 34km~(완벽해, 비 오는 날에 34km~)"
"Ich will ins Bett(눕고 싶어)"
다시 따뜻한 침대로 돌아가고 싶은 마음을 뿌리치고 마을을 떠나 숲 속을 걸었다. 빗방울에 땅은 질퍽하게 젖어있었다. 'Matschiger Boden(축축한 땅)'을 중얼거리며 이리저리 진흙을 피해 걸었다. 조금씩 밝아지는 파란 하늘이 잔디밭을 반짝거리게 비췄다. 저 멀리 평화롭게 아침을 맞이하는 소들과 그 사이를 뛰어다니는 송아지들이 보였다.

우리 숨소리만 들리는 새벽녘 찹찹한 공기 사이로 따뜻한 조명이 보였다. 아리주아에 있는 독일식 카페였다. 지붕이 있는 야외 자리는 밤새 맺히는 이슬에 젖지 않도록 사방이 비닐 방풍막으로 감싸져 있었다. 우리는 가게 안으로 들어가 아침으로 먹을 요거트볼과 따뜻한 커피를 주문했다.

"저기 화장실 문 앞에 적힌 거 보여?"
남녀 공용으로 사용되는 화장실 문 앞에는 '손님 전용. 화장실만 이용 시 1유로'라고 적혀있었다.
"정말 여기 독일스럽다. 우리는 절대 공짜가 없거든"
"정말 철저하네"
우리는 요거트볼을 받아 야외에 자리를 잡았다. 다빗은 어릴 때 제일 좋아하던 아침이었다며 요거트를 한 스푼 떠서 음미하기 시작했고, 나도 따라 여유로운 아침식사를 시작했다. 차가운 바람을 피해 몸을 좀 녹이니 긴장했던 몸이 부드럽게 풀리면서 다시 출발할 힘이 생겼다.

조금 더 가면 알렉스와 언니가 묵은 알베르게가 나왔다. 회사에 휴가를 내고 온 알렉스는 시간을 지체할 여유 없이 매일 최대한 많이 걸어 산티아고에 도착하는 날짜를 맞춰야 했다. 같이 도착하고 싶었던 우리도 속도를 맞추기로 했다.

"다들 잘 잤어?"

"응 너희는? 여기 알베르게 너무 좋았어. 4명밖에 없어서 엄청 조용하더라."

"푹 잘 잤겠다. 우리는 오다가 독일카페에서 요거트 먹고 왔는데 너무 맛있더라. 아직 아침 안 먹었지?"

같이 한 시간쯤 더 걸어 날이 밝아졌을 때, 카페에 한 번더 들렀다. 베이컨과 계란프라이를 주문해서 빵이랑 먹었는데 딸기쨈이 있으면 너무 잘 어울리겠다고 생각하며 테이블을 위를 두리번거렸다.

"딸기쨈 달라고 할까?"

"헤 어떻게 알았어?!"

항상 나를 살피고 있던 다빗은 내가 원하는 게 뭔지 단번에 알아채고 카운터로 가서 딸기쨈을 받아왔다.

"고마워"

카페 문 밖으로 비가 조금 잦아들고 햇빛이 비추는 게 보였다.

"출발할까?"

젖은 우비와 배낭의 물기를 손으로 털어내고 다시 길을 나설 준비를 했다. 알렉스와 언니가 먼저 출발했고 그 뒤를 따라 걷는데 다빗이 말했다.

"둘이 조금 슬퍼 보이지 않아?"

"그런가, 이제 내일이면 산티아고에 도착해서 그런 걸까?"

나는 언니를 통해 들은 알렉스와 언니의 이야기를 다빗에게 들려줬다.

"음, 그런 일이 있었구나"

이전 연애에 슬픔을 가지고 있었던 언니와 알렉스는 많이 닮아있었다. 모든 아픔은 사랑으로 다시 치유된다고 믿는 다빗은 메모장을 열어 무언가 쓰기 시작했다.

그칠 줄 알았던 비는 다시 세차게 떨어졌다. 습한 공기는 옷과 가방 모두를 적셨고, 불어오는 바람에 몸은 점점 차가워졌다. 바람막이의 소매는 축축하게 젖어 손을 얼음장처럼 차갑게 만들었다.

"손이 왜 이렇게 차가워?"

계속 몸을 딱 붙여 온기를 나눠주던 다빗은 너무 오랫동안 돌아오지 않는 체온을 걱정하며 말했다. 다빗은 자기 우비 안으로 내 손을 가져가 따뜻하게 데워줬다. 점심시간이 넘어가는데도 해는 구름 밖으로 나올 생각을 하지 않고 부는 바람에 구름은 해 앞으로 쌓여만 갔다.

추위에 입술이 떨리고, 조금 위험할 수도 있겠다는 생각이 들기 시작했다. 다빗의 온기에 의지해 걷다가 언니가 멈춘 카페에 도착했다. 나는 바로 젖은 옷을 벗고, 마른 옷으로 몸을 말렸다. 다빗이 없었으면 정말 위험했을 수도 있는 상황이었다.

"고마워 다빗, 네가 나를 살렸어"

다빗은 메모장에 적었던 노래의 가사를 한국어로 번역해 언니에게 보여줬다. 반 쪽으로 쪼개진 상처 난 두 개의 마음이 만나서 완전한 하나의 조각이 된다는 내용은 언니의 눈시울을 붉혔다.

오늘 도착한 마을은 오 페드로우조라는 조용한 도시이다. 그제 팔라스 데 레이에서 만난 스페인 커플 안드리아와 안드레아가 우리가 오고 있다는 것을 알고 베드 4개를 예약해 줬다. 넓은 공용주방과 지하로 연결된 알베르게 사이에는 세탁실과 샤워실, 심지어 사우나까지 갖추고 있는 큰 알베르게였다. 우리는 짐을 풀고 젖은 빨래들을 모아 세탁실로 가져갔다. 도와주러 온 호스트는 세탁기 상태를 확인하더니 고장이 나서 이용을 못한다고 미안하다고 했다. 어쩔 수 없이 세탁기에서 다시 빨래를 꺼내 도보로 15분 정도 거리에 있는 세탁방으로 갔다. 나가는 김에 저녁 장도 봐오기로 하고 나는 다빗이랑 세탁방으로, 언니는 안드리아, 안드레스 그리고 알렉스와 함께 마트로 향했다.

다빗이랑 가만히 손을 잡고 앉아 세탁방에 앉아서 지나가는 사람들을 보고 있는데 정말 내일이면 산티아고 순례길이 끝난다는 사실이 사람들의 발소리처럼 점점 현실감 있게 다가왔다.

어쩌면 까미노에서 만들어 먹는 마지막 저녁식사가 될 수도 있다는 생각에 오늘 한식을 만들어 먹기로 했다. 너무 감사하게도 같은 알베르게에 있던 한국 어머니 순례자분들이 점심에 만들어 먹고 남은 카레가 있으니 밥만 해서 같이 나눠 먹으라며 완성된 카레를 선물해 주셨다. 마트에서 샐러드 재료와 빵을 사 와서 같이 요리를 했다. 언니는 밥을 하고, 나는 스크램블을 했다. 그리고 다른 친구들은 다 같이 재료를 손질해 샐러드를 만들었다. 한국에서 가져왔던 김을 부셔 밥 위에 김 가루를 뿌리고, 즉석 해장국을 뜨거운 물에 풀어 본격적인 한식 식탁을 차렸다.

다 같이 앉아 식사를 하려는데 옆 테이블에서 익숙한 플룻소리가 들렸다. 연습용 악기의 바람 빠지는 소리였지만 플룻이었다. 한국에서 플룻을 전공한 언니는 걷는 내

내 까미노에서 꼭 한 번 연주해 볼 기회가 있었으면 좋겠다고 말하곤 했는데 바로 오늘 처음으로 악기를 만났다. 언니의 눈이 반짝거리기 시작하더니 숟가락을 들지도 못하고 고민하다가 그 순례자 옆으로 가서 자기를 소개했다.

"안녕하세요. 저는 한국에서 왔어요. 까미노에 플룻을 가져오셨다니 너무 멋지세요! 저는 플루티스트인데 혹시 실례가 안 된다면 악기를 잠깐 빌려도 될까요?"

"우와 정말요? 그래주시면 저는 영광이죠!"

플룻의 목소리로 아리랑이 연주되었다. 공용주방의 높은 천장 끝까지 소리가 가득 찼다. 그 자리에 있던 모든 순례자들은 움직임을 멈추고, 언니의 호흡에 따라 반짝거리는 플룻으로 시선을 돌렸다.

큰 박수소리로 연주가 끝나고, 우리는 여운에 젖어 모두 같은 마음으로 끝까지 행복한 미소를 머금고 하루를 마무리했다. 내일은 산티아고에 도착한다.

#19 산티아고 데 콤포스텔라

여유로운 아침에 마지막 날이라는 것이 피부로 느껴졌다. 알베르게의 퇴실시간에 맞춰 주방을 지나 밖으로 나왔다. 여유를 먼저 알고 늦잠 잔 몸을 스트레칭으로 깨우고, 돌담에 나란히 기대앉아 콜라카오와 알렉스가 즉석에서 만들어준 햄치즈 바게트 샌드위치를 나눠 먹었다.

하늘이 예쁘면 카메라를 들었고, 발걸음이 가벼우면 음악을 틀었는데 오늘은 그저 눈으로, 귀로 자연을 온몸으로 느꼈다. 귀를 스치는 바람소리와 다 닳은 등산화의 발소리는 완전한 음악이 되었다. 많은 대화를 나눌 필요도 없었다. 이 길 위에 함께 서 있다는 것만으로도 충분한 대화가 이루어졌다.

두 시간쯤 걸어, 우리는 누가 먼저랄 것도 없이 앞에 보이는 카페의 야외 테라스에 자리를 잡고 앉았다. 알렉스는 커피를 사겠다며 모두를 위해 카페 콘 레체를 주문했다. 다빗은 찻잔 받침에 올려 나오는 설탕을 뜯어 하트가 그려진 우유거품 위에 부렸다.
"산티아고에 도착하면 이제 어디로 갈 거야?"

다빗의 질문으로 내일 우리는 어디에 있을까 상상했다.

"피스테라로 가는 거 어때?"

언니가 말했다.

"우리 네 명이니까 차를 빌려서 가도 될 것 같은데?"

언니의 말에 알렉스가 렌터카를 알아보는 동안, 나는 스페인에서 운전을 해볼 수도 있겠다는 설레는 상상에 콧노래를 부르며 운전하는 시늉을 했다. 다빗은 꺾인 엄지를 치켜들고 억지웃음을 지으며 불안한 기색을 비쳤다.

"왜! 나 운전할 수 있어!"

나는 배낭에서 혹시 몰라 챙겨 온 국제면허증을 꺼내 다빗에게 보여줬다. 티격태격하는 장난스러운 대화에 저절로 웃음이 나왔다.

알렉스는 한참 검색을 하더니 렌트는 비용이 많이 들어 버스를 타는 게 나을 것 같다고 이야기했다. 아쉽지만 면허증은 도로 넣어놓고, 버스로 스페인의 해안도로를 달릴 거라는 상상에 또 새로운 설렘을 가졌다.

자리를 정리하고 다시 길을 나섰다. 갈리시아 지방부터 대략 500m 간격으로 촘촘히 세워진 비석들에 새겨진 숫자는 이제 두 자리에서 한 자리로 줄어들었다.

멀리서 희미하게 물 흐르는 소리가 들렸다. 흐르는 물 위에 놓인 짧은 다리를 건너는데 아래에 하얀 잔테데스키아 하나가 길게 줄기를 빼고 피어있었다. 자세히 보니 하얀 꽃잎에 거뭇거뭇한 상처가 눈에 들어왔다.

"Ich möchte die Blume sauber machen (저 꽃 하얗게 만들어 주고 싶어)"

다빗은 대답도 없이 배낭에 연결된 호스에 입을 대고 물을 가득 머금더니 꽃을 향해 물줄기를 만들어 뿜었다. 꽃이 흔들리며 촉촉하게 씻겨졌다.

"저거 봐. 네가 깨끗하게 만들었어"

아이디어가 많은 다빗은 항상 다양한 방법으로 나를 웃게 만들었다.

조금 뒤 알렉스와 천천히 걸어오고 있는 언니에게서 식당에 들러 같이 점심을 먹고 가자는 연락이 왔다. 3km 정도 떨어진 식당을 찾아 언니와 위치를 공유했다. 까미노 이 길에서 먹는 마지막 점심이다. 따뜻한 햇볕 아래 앉아 파스타와 이베리코 돼지고기에 디저트로 치즈케이크까지 피스테라에 가는 여정에 대해 이야기하며 배를 든든하게 채웠다.

초록 나무벽에 알록달록한 스티커로 꾸며진 철제 글자가 '이곳이 산티아고 데 콤포스텔라입니다' 라고 말하며 산티아고에 도착한 우리를 반겨줬다. 모든 마음이 안정적이었다. 지금까지 걸어온 길이 아쉽지도, 과하지도 않고 그저 매일 아침 눈을 뜨면 짐을 챙겨 길을 나섰던 것처럼 똑같은 일상을 마주하는 마음이었다. 이곳에 도착했기 때문에 변하는 것이 아니라 지금까지 걸어온 이 길이 이미 나를 가랑비에 옷 젖듯이 서서히 변화시켰다.

누군가 인생에서 중요하게 여기는 가치관이 무엇이냐 물으면 항상 새로운 경험이라고 말하곤 했다. 새로운 경험이 생각을 넓히고 나를 성장시킨다고 생각했기 때문이다. 그래서 까미노를 선택했었다. 하지만 이제는 감사를 발견하는 것이 더 중요하다는 것을 깨달았다. 모든 새로운 것은 시간에 의해 익숙해진다. 경험의 가치관이 커지면 커질수록 현재를 돌아보는 힘이 약해진다. 하지만 감사의 가치관이 커지면, 감사가 커질수록 익숙했던 것들은 다시 새로워진다. 까미노가 나에게 말하려는 것에 귀를 기울이게 되었다.

도시 입구에서 진짜 우리의 목적지인 산티아고 데 콤포스텔라 성당까지 조금 더 복잡한 길을 지나가야 했다. 비가 오기 시작했고, 지나가는 길에 보이는 알베르게에 먼저 체크인을 하려고 하면 이미 풀부킹이었다. 산티아고의 알베르게는 연박이 가능하기 때문에 도착하고도 며칠 더 머무는 순례자들이 많았다. 지도를 열어 전화를 걸어도 이미 모든 베드가 차있었다.

언니는 스쳐 지나가며 만났던 먼저 산티아고에 도착한 한국 동행들에게 연락을 했다. 호그와트 성 같은 알베르게에 도착해 있던 원우오빠가 호스트에게 자리를 물어봐주고, 선불로 체크인까지 미리 해줬다. 오늘도 또 누군가의 도움을 받으며 커다란 문제 같았던 일을 감사로 해결했다.

당장 성당으로 가 800km 여정의 끝을 눈으로 보고 싶었지만, 빗줄기가 굵어지기 시작했고 알베르게는 성당의 반대방향이었다. 사흘간 산티아고에서 묵으며 쉬어가기로 했기 때문에 우리는 곧장 알베르게로 향했다. 다행히 비에 흠뻑 젖기 전에 도착해 베드를 정리했다.

우리는 원우오빠의 동행들과 같은 방을 사용했다. 다빗은 나와 함께 걸으며 배웠던 한국어로 인사를 건넸다.

"안녕하세요. 나는 다빗입니다"

"와! 안녕하세요, 한국어 너무 잘하는데요?"

한국 동행들은 예상치 못한 한국어 인사에 놀라며 다빗을 환영했다. 비록 대답을 알아듣지는 못했지만 뿌듯해하는 다빗의 표정이 귀여웠다.

"오늘 저녁 같이 먹을래요?"

한국에서 요리사로 일하는 원우오빠는 동행들과 함께하는 저녁식사에 우리를 초대해 줬다.

"정말요? 너무 좋죠"

저녁에 만나기로 하고 우리는 빈손으로 가지 않기 위해 우비를 입고 마트로 가서 맥주와 와인을 사 왔다. 오빠가 요리한 매콤한 파스타와 고기요리에 함께 곁들여 먹으며 기가 막힌 저녁시간을 보냈다. 우리는 각자가 걸어온 산티아고에서의 에피소드를 창 밖에 내리는 세찬 비처럼 쏟아내고, 내일 피스테라까지 어떻게 갈 건지에 대해 이야기 나눴다.

밤이 깊어가고, 나는 다빗과 먼저 방으로 올라와서 고요를 누렸다. 우리는 오늘 도착했는데, 마음 한편 깊이 새로운 시작에 설레는 마음이 꿈틀거렸다. 34일 동안 산티아고 데 콤포스텔라를 도착지로 두고 한 방향으로 걸었다. 한 날은 오른쪽으로, 한 날은 왼쪽으로 다른 선택을 하며 걸었지만 결국은 모두 한 곳에서 만났다. 목표는 발걸음을 이끄는 힘이 있다.

내일은 성당으로 가서 그토록 보고 싶었던 산티아고 데 콤포스텔라를 마주할 것이다. 긴장과 설렘은 같은 감정이라고 하는데, 내일 시작할 하루가 그렇게 떨린다.

#20 부엔 까미노

34일간 흘린 땀방울이 빗방울이 되어 바닥으로 떨어진다. 잠에서 깼지만 여전히 베드에 누워 눈을 감고 빗소리에 귀를 기울였다. 온 세상이 멈췄으면 좋겠다는 마음과 함께 그럼에도 불구하고 새로운 하루에 대한 설렘이 공존했다. 아직 잠들어있는 다빗이 깨지 않게 조용히 몸을 일으켰다.

세수를 하고 짐을 챙겨 1층에 있는 공용주방으로 내려가기 위해 엘리베이터를 탔다. 층수를 표시하는 각 숫자마다 모래알 같은 점자표시가 서수를 나열하고 있었다. 손끝으로 글을 읽으시는 아버지와 함께 팔짱을 끼고 길을 걷던 순례자가 떠올랐다. 각자의 방법과 속도로 걸어 결국은 모두 같은 목적지에 도착할 때까지 기다려주는 이 까미노는 직접 경험하지 않고는 이해할 수가 없다. 이천 년이 넘게 그 자리에 그대로 있는 산티아고 순례길은 여전히 같은 모습이지만, 그 길을 걷는 순례자들은 모두 다른 모습으로 다른 지혜를 품고 살아간다.

다빗과 알렉스가 언니와 함께 내려왔다. 우리는 아직 어두운 창 밖을 바라보며 빵과 함께 커피를 마시고 산티아고 데 콤포스텔라로 향했다. 빗줄기가 차차 줄어들고, 젖은 바닥은 우리의 발걸음에 무게를 실어주었다. 시멘트 바닥이 돌 바닥으로 바뀌면서 웅성웅성한 군중들의 소리가 들렸다. 너무 가까이 붙어 걸어서 성당건물인 줄 몰랐던 거대한 벽이 멀리 떨어져 바라보니 그토록 바라던 산티아고 데 콤포스텔라의 웅장한 모습으로 마음을 울렸다. 그토록 원하고 바라는 것이 사실은 우리 옆에 너무 가까이 있어서 알아채지 못하고 있는 것일 수도 있다. 우리는 한참 동안 성당과 그 앞을 지나는 수많은 순례자들을 바라보았다.

그 때, 뒤에서 누군가 우리 이름을 불렀다.

"은파! 다빗! welcome! 수고했어요"

먼저 도착해 산티아고에서 며칠 더 머물고 있던 해찬오빠가 미소를 지으며 우리를 향해 걸어오고 있었다.

"오빠! 너무 반가워요. 언제 도착한 거예요?"

"전 이틀 전에 도착했어요."

"와, 완주 너무 축하해요! 저희는 어제 도착했는데, 너무 늦어서 바로 알베르게로 갔다가 이제 순례자 사무실에 가려고요"

"며칠 더 묵을 거죠? 알베르게는 구했어요? 자리가 많이 없다고 들었는데"

"맞아요, 그래서 유감스럽게도 연박하는 알베르게는 여기서 좀 멀어요"

"아, 그래도 찾아서 다행이네요. 내일은 어디로 가요?"

"저희 피스테라 가려고 생각 중인데, 오빠는 다녀오셨어요?"

"저 어제 묵시아에 다녀왔어요! 날씨가 진짜 최고였어요"

길에서 항상 우리의 안부를 살피고 마음을 챙겨주던 해찬오빠는 묵시아의 둘로 쪼개진 거대한 비석 바위 앞에서 찍은 사진을 보여줬다. 그리고 우리도 산티아고 데 콤포스텔라 앞에 나란히 서서 사진을 남기고, 한국에 돌아가서 만나자는 말과 함께 헤어졌다.

배낭을 짊어진 순례자들은 미사에 참여할 수 없다. 대신 순례자 사무실에서 2유로에 짐 보관 캐비닛을 이용할 수 있다. 성당 정문을 오른쪽에 두고 직진을 하면 왼쪽으로 내려가는 길이 나오는데, 그 길을 따라 쭉 걸어 레스토랑과 기념품 가게를 지나가면 순례자 사무실이 나온다. 이미 많은 사람들이 줄을 지어 기다리고 있어서 굳이 지도를 찾아보지 않아도 순례자 사무실을 찾을 수 있었다. 우리는 4명이어서 아래층에 있는 단체 순례자들을 위한 곳으로 갔다.

스페인인 한 명, 독일인 한 명, 한국인 두 명. 지구 저 반대편에서 날아온 언니와 나는 새로운 친구들과 그 어떤 것과도 바꿀 수 없는 소중한 추억을 만들었다. 5월 5일, 생장에서 던진 작은 공이 6월 9일, 산티아고에 도착하니 가늠할 수 없을 정도로 거대해져서는, 내 옆에 딱 붙어 성당의 거대한 벽처럼 커다란 환경을 만들었다. 까미노는 나에게 줄 수 있는 가장 큰 선물을 줬다.

779km를 모두 걸었다는 숫자가 찍힌 완주 증명서를 받으니 마치 월급을 받은 것처럼 묘한 감정이 들었다. 나의 한 달간의 수고를 보상받은 듯 한편으로는 뿌듯하고 또 다른 한편으로는 공허한 감정이 교차했다. 매일 일어나 7kg의 배낭을 짊어지고 무작정 걸었던 나날들이 스쳐 지나가며, 길의 중반부터는 내 옆에 서 있는 다빗도 보였다.

다빗과 함께 걸은지 15일이 된 오늘, 짧은 시간 동안 다빗과 나눈 것이 말도 안 되게 너무 많았다. 15일 밖에 함께 하지 않았다는 것이 믿어지지 않았다. 15살 때부터 알고 지내던 동네친구처럼 느껴졌고, 표정만 봐도 다빗의 마음을 알 수 있었다. 그저 까미노 매직일 거라고 생각했던 가벼운 마음은 당연하다는 듯이 무지개처럼 사라졌다.

"우리 어딜 가나 오파가 있었는데 그치?"
"또 언제 만날 수 있을까? 여기 골목 돌면 오파 있는거 아니야?"
"에이, 설마"
우리는 반신반의하는 마음으로 순례자 사무실에서 나와 다시 산티아고 데 콤포스텔라로 향했다. 왼쪽으로 꺾어 올라가는 계단에 첫 발을 딛고 위를 올려다 봤다.
정말 우리의 상상대로 오파가 입꼬리에 있는 하얀 수염을 한껏 올리며 우리를 향해 미소를 짓고 있었다.
"OPA!!!"
"말도 안돼"
"Opa ist überall(오파는 어디에나 있어)"

말로 다 표현할 수 없는 기쁨과 반가움이었다. 우리는 오파에게 달려가 포옹을 했다. 지금 막 도착해 사무실로 향하고 있던 오파는 여전히 따뜻한 목소리로 우리 이름을 불러주었다. 우리의 까미노는 여전히 따뜻했다.

피스테라로 가는 버스 안에서 우리는 손을 잡고, 마음에 있는 단어들은 아꼈다. 꼬불꼬불 해안길을 따라가는 버스 창문에 시선을 고정하고, 빠르게 지나쳐가는 푸른빛 바다를 감상하는데 집중했다.

피스테라의 하늘은 안개가 자욱했다. 우리는 생장의 800km 그 반대편, 0km가 새겨진 비석을 보러 언덕길을 올랐다. 도착한 스페인의 땅 끝은 바다 위로 깎여있는 절벽이었고, 우리는 바위 끝에 앉아 바다를 보고 가만히 앉아 있었다.

문득 '지금 죽을 수도 있겠다'는 생각이 들었다. 죽음이란 무엇이고, 죽지 않고 사는 것은 무엇일까. 무엇이 우리의 삶을 채우고 있는 것일까. 마치 인생을 축소해 만든 연극같은 까미노였다. 이 길이 끝나는 것이, 삶이 끝나는 것처럼 느껴져 인생을 돌아보게 했다.

"은파, 너는 하나님이 나에게 주신 가장 큰 선물이야"
다빗의 말 한마디에 내 온몸과 마음이 따뜻해졌다.
"너를 만나게 하시려고 나를 이 길에 보내셨나 봐"

살아가다 보면 정답이 없는 질문들을 종종 하게 된다. 결혼을 하는 것이 행복한 삶일까? 인생에서 한 번쯤은 까미노를 경험해 봐야 할까? 이런 질문 앞에서 우리는 옳은 답을 찾는 것이 아니라 그저 경험하기로 선택한다. 우리 마음이 움직이는 대로, 결심이 닿는 대로.
그렇게 살아가다 보면 예상치 못한 장면들을 마주하게 된다. 그때 느끼는 것이다. 내가 잘 선택했구나, 혹은 내가 이걸 배우기 위해서 이 선택을 했구나.

부엔 까미노는 '좋은 길'이라는 뜻이다. 서로의 선택을 지지하는 순례자들은 길에서 마주치면 '부엔 까미노'라고 인사한다. 당신의 길을, 선택을, 만남을 응원하면서.

은파의 말

 시간이 지나면 희미해질거라 짐작했던 까미노의 기억
은 갈수록 더 짙어져만 갑니다.

길을 걸으며 발에 물집이 잡히기도 하고, 무거운 배낭에
어깨가 눌려 허리까지 지끈거린 적도 있지만 그 고통의
기억들은 다 어디로 갔는지, 그저 추억이라는 아름다운
단어의 거름이 되었습니다. 한국에 돌아온 지 1년이 다
되어서야 완성한 이 글은 그 거름 쌓인 땅을 더 단단하게
만들어주는 것 같습니다.

꿈 같던 그 날의 추억들이 돌아와 마주한 현실을 바꾸어
주지는 않았습니다. 살아가기위해 일을 찾아야 했고, 남
들의 시선은 전혀 신경쓰지 않던 길 위에서의 저는 금세
도시 속 환경에 적응하며 화장으로, 옷으로 저를 꾸몄습
니다. 하지만, 그럼에도 불구하고 길 위에 새겨졌던 산티
아고를 향한 한 걸음 한 걸음이 여전히 제 일상에도 새겨
지고 있습니다. 스페인에 매일 아침 떴던 태양이 여전히
제 삶에도 떠오르고 있습니다. 저는 다빗과 각 국의 청소
년들을 데리고 유럽비전트립을 인솔하는 미래를 상상해
보곤 합니다. 저의 산티아고는 받은 것들을 넘치게 흘려
보내는 폭포가 되었으면 좋겠습니다.

'어디서 살 것인가'는 단지 장소만을 의미하는 것이 아닙니다. 그것은 '어떤 사람이 될 것인가'를 묻는 질문입니다. 저는 까미노 위의 저를 그리워합니다. 그래서 제 삶이 까미노가 되게 하기 위해 그저 매일 일어나 비를 뚫고, 사람들과 마주하며 걸어갑니다.

한 날은 다빗이 저에게 가장 아름다운 기억이 무엇이냐고 묻더라구요. 그 말에 대답하기 위해 지나간 시간을 거슬러 가는데, 전혀 다른 환경에서 다르게 살아온 우리가 어떻게 만날 수 있었을까 돌아보게 되었습니다. 이 세상에 계획된 섭리보다 더 큰 감사가 없겠다는 생각이 들더라구요. 각자가 자신의 산티아고를 향해 걷다가, 만나서는 같은 곳을 보고 서로의 속도에 맞춰 때로는 빠르게, 때로는 느리게 걸어가는 모든 시간이 우리의 길을 아름답게 만들어가는 방법이었습니다. 그 길위에서의 아름다운 기억을 '까미노' 세 글자로 함축하기엔 많은 페이지가 필요했습니다. 이 책이 그 질문의 대답이 되었으면 좋겠습니다.

언니의 말

"언니, 산티아고 순례길 같이 갈래?"

지금이 아니면 20대에는 갈 수 없을 것 같아 용기를 내서 다녀왔습니다. 덕분에 소중한 인연들을 만났고, 그 길은 새로운 만남으로 가득했습니다. 저는 여전히 까미노를 그리워하며 그 기억들로 행복하게 살아가고 있습니다. 저에게 좋은 추억으로 남은 친구들도 있고요.

저도 다빗과 친구가 되어서 너무 기뻤습니다. 다빗을 만나면 사랑이 많고, 마음이 넓고 깊으며 밝은 사람이라는 것을 바로 알 수 있답니다. 덕분에 은파는 가파른 길이 힘들어도, 다빗의 손을 잡고 끝까지 걸었습니다.

"은파야 너가 행복하면 나도 행복해"

은파가 다빗을 만나러 북쪽길을 택해서 갈 때 제가 했던 말입니다. 하지만 그 때는 앞으로 어떤 일이 일어날지 전혀 알 수 없었습니다. 상상이 가시나요? 2주 내내 손잡은 두 사람의 모습을 보며 뒤에서 혼자 걷는 마음이 어떨지. 제 등산스틱은 아스팔트길을 뚫는 분노의 작대기가 되어 제 심정을 대신해주었습니다. 저도 사람인지라 쓸쓸해지더라구요. 사실, 까미노에서 힘들 땐 그런 마음을 가지고 있었습니다. 그럼에도 불구하고 혼자서도 잘 지내는게 중요하다는 것도 배웠습니다. 항상 배울점은 있더라구요. 그건 저에게 가장 필요한 부분이었습니다.

은파, 다빗과 함께 있을 때면 그 곳이 어디든 까미노가 됩니다.
그래서 이번에 한국을 또 방문하는 다빗이 벌써 기다려집니다. 함께 걸을 수 있다는 그 자체가 행복이라는 것을 잘 알고 있기 때문이죠. 무엇을 기대 하든지 까미노는 예상치 못한 선물을 줄거라고 생각합니다.

마지막으로 이 이야기를 책으로 남긴 은파에게 고맙다는 말 전하고 싶습니다. 저에게는 선물 같은 책입니다. 여러분에게도 선물이 되기를 바랍니다.